HALLT

I Esther, yr haul ym mhob hindda

HALLT

Meleri Wyn James

Diolch o galon:

i fy nheulu – er ein bod yn fach mewn nifer
rydym yn fawr ein cariad at ein gilydd.

i Sion am glawr arall bendigedig ac am bob dydd yn dy gwmni.

i Nia Peris am ei chyfeillgarwch a'i geiriau doeth.

i Meinir Wyn Edwards am ei chefnogaeth a'i sylwadau
craff ac i Huw Meirion Edwards am ei waith treiddgar.

i Lefi, Garmon a phawb yn y Lolfa
am flynyddoedd o gydweithio hapus.

Argraffiad cyntaf: 2023
© Hawlfraint Meleri Wyn James a'r Lolfa Cyf., 2023

*Mae hawlfraint ar gynnwys y llyfr hwn ac mae'n
anghyfreithlon llungopïo neu atgynhyrchu unrhyw ran ohono
trwy unrhyw ddull ac at unrhyw bwrpas (ar wahân i adolygu) heb
gytundeb ysgrifenedig y cyhoeddwyr ymlaen llaw*

Cynllun y clawr: Sion Ilar

Rhif Llyfr Rhyngwladol: 978 1 80099 483 6

Dymuna'r cyhoeddwyr gydnabod cymorth ariannol
Cyngor Llyfrau Cymru

Cyhoeddwyd ac argraffwyd yng Nghymru
ar ran Llys Eisteddfod Genedlaethol Cymru gan
Y Lolfa Cyf., Talybont, Ceredigion SY24 5HE
e-bost ylolfa@ylolfa.com
gwefan www.ylolfa.com
ffôn 01970 832 304

Ar lan y môr mae rhosys cochion,
Ar lan y môr mae lilis gwynion,
Ar lan y môr mae 'nghariad inne
Yn cysgu'r nos a chodi'r bore.

Pan feddwn dalent plentyn
I weld llais a chlywed llun…

'Afon', Gerallt Lloyd Owen

HAF

ELEN

Cofiai'r dydd yn glir fel y glaw. Roedd ganddi lyfr yn ei llaw ac roedd hi'n llwyr fwriadu darllen hwn. Yna, roedd un gair wedi tarfu arni,

'Na!' yn dod o bell.

Gwylan, yn crawcian am damaid blasus, meddyliodd. Ond roedd mwy,

'Fi 'di gweud "na"!

Naaaaaaa!...

Ti ffaelu neud i fi...

So fe'n deg...

Lan i fi yw e...

Ti'n clywed fi?'

Allai Elen ddim dal ati i ddarllen, i wneud synnwyr o'r geiriau a'u gweu nhw'n stori. Ond fe barhaodd hi i gydio yn y llyfr agored, yn methu gollwng gafael ar ei breuddwyd yn llwyr. Yna, tu ôl iddi,

'Na, na, na!' yn floesg.

Trodd Elen ei phen. A dyna pryd y gwelodd hi'r ferch yn sefyll ar ben yr uchaf o'r twyni tywod yn gweiddi nerth ei phen. Cafodd Elen gip ar gyrls tonnog a dwy foch oedd yn goch fel ei gwallt. Ceg agored, yn crawcian. Diflannodd y ddalen yng ngwres y golau.

Roedd hi'n brysur ar draeth Llanddwyn, yn anarferol o brysur, hyd yn oed am fis Awst, clywodd rywun yn dweud. Yr haul yn swp poeth, yn pwyso, yn llosgi. Ei chymdogion dros dro yn agosach ati nag oedd yn gyfforddus iddi. Teimlodd Elen ei hysgyfaint yn tynhau. Roedd pobol eraill wedi sylwi ar y groten, sut allen nhw beidio? Roedd y fam honno yn yr hat welwch-chi-fi yn syllu 'nôl a mlaen yn ddigywilydd ar y ferch groch wrth iddi roi eli haul ar ysgwyddau ei chrwt bach a'i nychu i aros yn llonydd. Sylwodd Elen ei fod yn gwrando ar ei fam. Roedd eraill, fel y tair ffrind, yn prysuro gyda'u picnic, yn estyn tybiau plastig yn llawn bwydydd bach blasus a thuniau o jin, yn chwerthin ac yn ymhyfrydu yn eu rhyddid. Drws nesa, roedd teulu estynedig tair cenhedlaeth wrthi'n gosod eu trugareddau, yr hynafiaid yn crychu talcen – pwy oedd piau hon? Rhyfeddodd Elen at y menywod â'u llewys hir, eu penwisgoedd tywyll, eu hunanreolaeth, yn y tywydd yma.

Roedd hi'n bloeddio o hyd. Y ferch. Y gwres heb ei distewi. Roedd hi'n dal i fod yn bur anarferol i glywed y fath weiddi yn gyhoeddus. Anesmwythai Elen. Edrychodd o'i chwmpas. Beth oedd pobol yn ei feddwl o'r ribidirês o gasineb? Bod hon yn niwsans? Yn llond llaw? Yn ferch ddrwg? Neu ei bod hi mewn trwbwl? Yn cael ei gorfodi i wneud rhywbeth? Yn erbyn ei hewyllys? Fe groesodd feddwl Elen y dylai hi wneud rhywbeth, ond beth allai hi ei wneud? Crynodd yn y gwres.

'Cau dy blydi geg!' meddai rhywun, llais blin gwrywaidd, dyn ifanc mewn het bêl-droed Cymru, yn pôsio gerllaw. Doedd Elen ddim yn anghytuno ag e. Roedd pobol yn trio mwynhau eu hunain. Bachu orig brin o hamdden cyn gofid y gaeaf hir.

Edrychodd Elen ar y ferch. Roedd hi'n hŷn ar yr ail edrychiad. Y wisg nofio yn rhy fach iddi wrth i'w chorff flodeuo, yn fronnau ac yn gluniau i gyd. Yn fenyw fach. Cofiodd feddwl bod angen gwisg fwy o faint arni.

Pam oedd hon mor grac? Oedd, roedd y gwres yn yffachol ac amynedd ambell un yn brin. (Dwi'n siarad â ti, Mr Wal Goch.) Ond roedd ymateb y fenyw ifanc hon yn fwy na hynny. Yn anarferol, yn amhriodol.

Yna daeth un gair o'i cheg oedd yn gwneud synnwyr i Elen.

'Mam!' gwaeddodd y ferch.

Trodd Elen i edrych o'i chwmpas eto. Roedd hi'n disgwyl i rywun gymryd yr awenau, i ddistewi'r sefyllfa gyda llond ceg o eiriau mwyn. Roedd y mamau Mwslemaidd wedi dianc rhag gormes y gwres ac anelu am y môr, ac yn bracso yn eu trowsusau, eu plant yn diddanu eu hunain yn y tywod yn ddi-gŵyn. Ar y traeth gerllaw iddi, daliodd Elen fam-gu a thad-cu yn edrych ar ei gilydd ac yn siglo eu pennau. Roedd pethau'n wahanol yn eu hoes nhw pan oedd hi'n dderbyniol i roi cwpwl o glowts... Caeodd Elen y nofel yn glep, gan ochneidio. (Sori, Caryl Lewis, fydd rhaid i ti ddishgwl.) Wrth iddi godi simsanodd ei thraed. Cwympodd y llyfr, ei ymylon yn cael eu claddu yn y tywod poeth.

Damo.

'Wy'n dod, bach,' ildiodd.

Roedd tipyn o bellter rhyngddi hi a'r ferch o hyd. Ond hyd yn oed o bell gwelodd Elen rywbeth yn ei hwyneb yn newid, yn meddalu. Meddalodd ei chalon hithau.

CARI

'Beth wyt ti'n neud?'

O'dd Mam wedi dod o'r diwedd.

'Sai'n mynd. Sai'n cerdded i Llanddwyn,' atebodd Cari hi ar ras. Do'dd Mam ddim yn edrych fel Mam. O'dd hi'n fach iawn. Cari yn sefyll ar ben y mynydd tywod, Mam ar y gwaelod, yr haul uwch eu penne.

'Ynys y cariadon… Ti'n cofio'r stori am Dwynwen?' gofynnodd Mam.

'So fe'n deg arna i!'

'Beth?'

'Sai moyn mynd. Chi'n neud i fi fynd. Mae'n boeth. Ma fe'n bell. Fi 'di blino.'

'Heddi ni 'ma, ar y traeth, Cari fach. Falle gewn ni'm cyfle i fynd i'r ynys 'to. Os ewn ni glou, allwn ni ddal lan gyda Dad a Bow.'

'Na.' Eisteddodd Cari ar dân y tywod.

'Ti'n gweld yr afon o ddŵr rhwng y ddau ddarn o draeth?' Trodd Mam ac anelu ei bys tuag at y gorwel.

'Ie.'

'Odw…'

'Ie, odw.'

'Beta i alli di ddim nofio i'r ochr arall…'

'Ti o ddifri? Ti o ddifri!'

O'dd Mam o ddifri? O'dd y gwres yn gostegu yn Cari. Daeth gwên lachar i lenwi ei hwyneb. Dechreuodd ruthro i lawr y twyn, i lawr at Mam.

'Ara' bach, Cari,' medde Mam.

HYDREF

ELEN

Roedd Cari wedi dechrau mynd yno bob dydd, bron. Ac a dweud y gwir roedd hynny'n gwneud pethau'n haws i Elen. Roedd hi'n rhyddhad i gael ychydig o seibiant er mwyn bwrw ymlaen gyda'i gwaith. Roedd yn bwysig iddi, ei gwaith. Dyna roedd hi i fod i'w wneud yn ystod y dydd. Cwblhau ei horiau er ei bod hi'n wyliau haf am ychydig o ddiwrnodau eto. Doedd e ddim yn gwneud sens, oedd e? Pedair wythnos o wyliau y flwyddyn i rieni, tra bod ysgolion yn cau am chwech wythnos dim ond dros yr haf. A phwy oedd yn ennill cyflog digon bras i dalu am ofal plant cyn hired?

Roedd Elen yn gweithio gartre, ac wedi hen ddysgu sut i gau ei chlustiau i sŵn cefndir. Roedd e'n rhywbeth roedd rhywun yn dysgu ei wneud wrth weithio mewn unrhyw swyddfa. Hyfforddi eich hun i anwybyddu sgwrs unochrog Jên wrth iddi drafod ei phenwythnos, yn fanwl, gyda Sara. Sara druan... Gwaedd ar y llawr islaw wrth i Gavin, y rheolwr, ddal aelod o'r tîm, fel Ros efallai, yn ddi-waith. Fe fyddai Gavin yn sortio dwylo segur gydag un gorchymyn! Gwenodd Elen yn gam. Doedd dim byd tebyg i ddistawrwydd tŷ heddychlon pan fyddai hi ond yn clywed cân y robin goch a'r aderyn du a sisial y gwynt trwy ddail y clawdd rhyngddyn nhw a'r bobol drws nesa. Gallai Elen deimlo ei hysgwyddau'n ymlacio, ei phen yn clirio.

Ac eto, roedd bytheirio y 'beth petai?' yng nghefn ei meddwl. Beth petai rhywbeth yn digwydd i Cari wrth iddi gerdded? Rhywbeth ofnadwy? A hithau, Elen, wedi ffarwelio â hi'n hapus?

'Wnaeth e ddim croesi'ch meddwl chi, Mrs Roberts, na fyddai plentyn fel eich plentyn chi yn ddiogel ar ei phen ei hun?'

Ceisiodd Elen anwybyddu'r geiriau.

'Alli di fyth â bod yno trwy'r amser,' dyna'r ymateb roedd hi wedi ei gael gan Miss Pugh pan oedd hi wedi cyfaddef mor anodd oedd gadael iddi fynd. Blynyddoedd o fod yno i sychu'r slops, i ddal ei llaw rhag iddi faglu, i ddal y gyllell yn llonydd. A nawr roedd disgwyl iddi ryddhau ei gafael, ei hannog hi i fentro hyd yn oed.

Dychmygodd Cari fel iâr fach yr haf a hithau, Elen, y llaw oedd yn cysgodi ond hefyd yn ei rhwystro rhag ymestyn ei hadenydd, rhag hedfan yn rhydd.

Doeddech chi byth yn gwybod, wrth gwrs. Ond roedd hi siŵr o fod yn saff i adael i'w merch ddringo i ben Consti o'u tŷ nhw. Doedd e ddim yn bell. Roedd mwy o gerddwyr na cheir yn mynd lan a lawr y lôn breifet hon ac roedd y rhan fwyaf o gŵn ar dennyn. Roedd yn help i Elen, waeth iddi gyfaddef. Yr ymddatod. Ac roedd gan Cari y ci yn gwmni. Un peth yn llai i Elen ei wneud mewn diwrnod wrth i Cari gymryd cyfrifoldeb am fynd â'r sbaniel bach penderfynol am dro.

Ysgydwodd Elen ei hun. Nid plentyn oedd hi. Roedd Cari newydd gael ei phen-blwydd yn un ar bymtheg.

'Fi'n un deg whech, Mam!'

Ac eto, doedd hi ddim. Nag oedd?

Fe fyddai Elen yn casáu'r munudau olaf hynny cyn i Cari a Bow fynd trwy'r drws. Fe fyddai yna dwrw. Bow yn cyfarth yn gyffrous wrth i Cari geisio cael ei goesau parod i mewn i'r harnes, hithau wedyn yn clipio ac yn methu ac yna'n clipio ac yn methu ac yna'n clipio'r tennyn yn sownd.

'Bow-wow!'

'Bow!'

'Bow-wow!'

'Na, Bow!'

Y ddau yn gwichial am y gorau. Ac weithiau fe fyddai Elen yn ymuno yn y sioe ac yn codi llais ar Cari i'w hannog hi i 'beidio â gweiddi', i ddefnyddio 'llais bach' rhag corddi'r ci. Y cyfan yn un cacoffoni ym meddwl Bow ac yn ei gynhyrfu hyd yn oed yn fwy. Fe fyddai'r amser yna'n hir i Elen, cyn iddi glywed clep y drws, ac ail glep am nad oedd yr ymdrech gyntaf wedi llwyddo i'w gau.

Ond roedd Cari wrth ei bodd yn mynd, ac roedd hi'n swnio fel petaen nhw, y criw ym mwyty Consti, wrth eu boddau yn cael ei chwmni hi. Roedd hynny'n newid bach braf. Roedd yn well iddi nag eistedd o flaen sgrin trwy'r dydd yn gwylio'r bobol ar YouTube roedd Gwyn wedi dechrau eu galw yn 'ail deulu'. Roedd Nadine, rheolwraig digwyddiadau Consti, yn ddynes gyfeillgar a threfnus. Roedd hi fwy neu lai'n gyfrifol am y datblygiad i gyd, yn ôl y sôn, ac fe fyddai hi wastad yn hael ei hamser i Cari. Roedd Elen wedi cael cip ar ambell un o'r lleill, er bod yr enwau'n newid wrth i weithwyr adael y caffi ac i rai eraill ddod yn eu lle. Ar wahân i Nadine, y bòs, doedd Elen ddim yn gallu rhoi wyneb i enw. Gwisgai pob un eu gwalltiau yn fyr neu mewn cynffon ceffyl ac roedden nhw'n ymdoddi i'w gilydd yn eu dillad du a'u ffedogau gwyn. Roedd yr enwau'n dueddol o wau yn un cwlwm cnotiog wrth i Cari adrodd yr hanes yn ei ffordd ei hun. Roedd yna Sasha, Ceri ac Ella a Pat yn y gegin, ac a dweud y gwir doedd Elen ddim yn gwybod ble i ddechrau dychmygu sut rai oedd y rhain er iddi glywed hanes Ella yn lliwio ei gwallt, rhywbeth a wnâi yn aml, mae'n debyg, ac ar hyn o bryd roedd yn fyr ac yn las.

Fe fyddai Cari'n cael hufen iâ am ddim ganddyn nhw – er bod ganddi arian yn ei phoced – ac roedd hi fel petai'n meddwl ei bod yn iawn iddi gael hwnnw, gan ei bod hi'n helpu ambell fore neu bnawn Sadwrn, neu am ychydig oriau yn ystod yr wythnos adeg y gwyliau. Doedd yr oriau ddim yn rheolaidd, ond roedd hi'n cael ei thalu'n ddigon hael am ei hymdrechion, yn clirio byrddau, glanhau'r ffenestri neu ddyfrhau'r planhigion. Doedd Cari ddim yn cymryd archebion eto, nac yn gweini diodydd a phrydau ar hambwrdd, a diolchai Elen am hynny.

'Gest ti hufen iâ heddi?' gofynnodd Elen iddi ar ôl i Bow a Cari ddychwelyd wedi bron i deirawr, Bow yn ecseited bost i fod adre a chael gwared ar y tennyn oedd yn ei ddal yn ôl.

'Cari? Hufen iâ?'

'Naddo.'

'Y gwir?'

'Do.'

'Felly, fe gest ti hufen iâ?'

'Do.'

'Oedd arian 'da ti?'

Anwybyddodd Cari hi. Roedd hi'n ffidlan gyda bacpac oedd ar lawr ers iddi ei adael yno ddeuddydd yn ôl.

'Cari! Pwy sy'n rhoi hufen iâ i ti am ddim?'

Rhyw gwestiwn diddim oedd e. Doedd Elen ddim yn poeni llawer am yr ateb ar y pryd.

'Jo.'

'"Jo", wedest ti?'

'Jo,' chwarddodd Cari.

A dyna'r tro cyntaf i Elen gofio sylwi ar yr enw hwnnw.

CARI

O'dd Mam yn gweud ei fod e ddim yn bell o'u tŷ nhw... Consti... ond o'dd e'n bell iddi hi. Yn enwedig heddi. O'dd hi'n dwym.

'Mae'n dwym,' medde Cari wrth adel.

'Wel, odi,' atebodd Mam, y tu ôl i'r cyfrifiadur.

O'dd Mam yn brysur. Gallai Cari glywed ei bysedd yn tap-tapio. O'dd Nadine 'di gofyn i Cari beth o'dd Mam yn neud, beth o'dd ei gwaith. Ond do'dd Cari ddim yn siŵr.

'Ateb e-bost,' medde Cari wrth Nadine, gan drio disgrifio swydd Mam. O'dd wastad e-bost i'w ateb.

'O's angen cot?' gofynnodd Cari i Mam.

'Jiw, jiw, nag o's. Fyddi di'n pobi.'

Gwenodd Cari gan feddwl am gacenne yn pobi yn y popty.

'Alla i neud cacenne bach?' gofynnodd. Meddyliodd am grafu'r bowlen â llwy, am y gymysgedd heb ei chwcan, yn fwy blasus nag ar ôl bod yn y ffwrn.

'O'n i'n meddwl bod ti'n mynd i Consti,' atebodd Mam.

Edrychodd Cari ar y cotie. Yn un jwmbwl ar y bache. O'dd Mam yn iawn am y tywydd? O'dd hi, Cari, yn teimlo'r oerfel. Yn fwy na Mam? Ond do'dd hi ddim isie cario cot chwaith. Hasl. A tase hi'n ei gadel yn y clawdd fe allai rhywun fynd â'r got. Fydden nhw ddim yn hapus gyda hi tase hi'n colli ei chot. Do'dd Mam a Dad ddim yn hapus y tro diwetha iddi golli ei chot.

'Ma isie gofalu am bethe.'

'Fi'n gwbod!'

O'dd, o'dd hi'n gwbod.

Cyfarthodd Bow.

'Dere mla'n, 'te, Bow! Dere!'

Dechreuodd Cari ddringo, lan yr hewl i ddechre, o dan y co'd. Bow ar y bla'n a Cari tu ôl yn dal y tennyn. O'dd cysgod y dail yn braf pan o'dd rhaid mynd i fyny, gam wrth gam. O'dd hi'n dipyn o wâc. Yn serth. A'r tarmac wedi gwisgo mewn manne, tylle di-siâp yn yr hewl, yn barod i'ch baglu.

'Watsia faglu, Cari!'

'Sai'n mynd i, Mam.'

Heibio i geg yr hewl o'dd yn arwain at y tŷ mawr, mawr, ble o'n nhw'n arfer cadw ceffyle – do'dd dim ceffyle 'na nawr. Yna i fyny eto a rownd y troad, heibio i gartre'r Pakets ar y chwith.

'Bihafia, Bow!'

O'dd rhaid bod yn ofalus wrth baso'r Pakets. O'dd ganddyn nhw ddau gi bach – tri ci bach! Corgi, *schnauzer* a *cockapoo* – ac o'n nhw'n cyfarth fel pethe gwyllt wrth iddi baso. O'dd Bow yn rhoi ei ben lawr. Yn dawel. Ond ar ôl paso'r cŵn swnllyd fydde fe'n cyfarth unweth. A dyna roi'r tri ohonyn nhw yn eu lle. Da iawn, Bow. Gwenodd Cari.

Yna, o'dd y darn gwaetha o'r daith. Y tarmac yn troi'n gerrig a'r rheini'n rhydd fel ei thafod. Lan-a-lan-y-rhiw, o'dd hyn yn waith caled.

'Gofalus, Bow!'

Erbyn i Cari gyrradd tŷ Rom a Barry o'dd ei lasys hi'n rhydd. Ma'n iawn, Mam.

'Beth os fyddi di'n baglu?' fydde Mam yn gweud.

O'dd Mam wastad 'run peth, 'Clyma dy lasys!'

'Sdim ots, Mam.'

Aeth heibio'r tŷ braf â'r pwll pysgod o'dd mor fawr â phwll nofio. Do'dd hi ddim yn mynd i faglu. Fydde popeth yn iawn. Un ddringfa fach ac fe fydde hi'n gweld pen y daith ar y gorwel. Fydde hi'n barod am ddiod erbyn iddi gyrradd. Fe allai eistedd wrth y bwrdd, yn yfed ei diod, yn edrych ar y dre oddi tani. Hon o'dd yr olygfa ore yn Aber. Gallai weld popeth: yr adeilade, y môr, y prom a'r arcêd ar y pen, y castell y tu hwnt… fel tase hi ar ben y byd. O'dd hi'n gallu gweld Mollie's, sgwn i? Fydde Cari yn hoffi losin o siop Mollie's nawr.

O'dd Mam yn ca'l losin pan fydde hi'n rhedeg.

'Ar ôl i fi redeg am awr ma hynny, Cari.'

'C'mon, Bow!'

Pan o'dd hi ar Consti o'dd hi'n hedfan fel barcud coch, ei big wedi ei anelu tuag at y dre. Hanner cylch o dai, fel braich yn cwtsio'r môr. Brown a gwyrdd bryn Pen Dinas yn y pellter a'r awyr uwchben. Do'dd dim dal pa liw o'dd honno. O'dd e'n dibynnu ar ei hwyl. Heddi o'dd hi'n llwyd. Yn ddi-ddim ddi-dda. Ond yn llachar. Brifai'r golau ei llygaid hi. Edrychodd i lawr. O'dd hi'n gweitho'n galed i ddringo'r rhiw. Do'dd dim ots bod ei lasys hi'n rhydd.

'O, Cari!'

'Sdim ots, Mam!'

O'dd y sbaniel bach yn snwffial ei ffordd i ben y bryn. Ogle ci arall, siŵr o fod. Cadno hyd yn o'd.

'Ych, Bow.' Tynnodd y tennyn yn siarp.

O'dd rhaid iddyn nhw siapo hi. Cari a Bow. O'n nhw'n aros amdani hi, amdanyn nhw. Y gang. O'dd hi wedi addo y bydde hi'n dod lan i weud hanes y bwnis wrthyn nhw. Tom Jones a Shirley Bassey o'dd eu henwe nhw. O'dd Sasha wedi ei dysgu hi am fwyd cwningod. Do'n nhw ddim yn ca'l byta letus. O'n nhw'n rhy ifanc i fyta moron. Fydden nhw'n ca'l bola tost. Do'dd hi ddim isie hynny! 'Na beth fydde gwaith glanhau!

'Stop, Bow!'

O'dd Bow yn fisi yn ffroeni rhyw ffrwcs. Tynnodd Cari ar y tennyn a hanner llusgo Bow mas o'r ych-a-fis. Fe fydde fe isie cusan 'da Cari nes mla'n! O'dd e'n snwffian y cwningod hefyd pan o'dd hi'n rhoi maldod a nhwythe ar ei chôl.

O'n nhw wedi ca'l taflen gan y ffarm gwningod. Hi a Mam a Dad. Sut i ofalu am y cwningod. O'dd Mam wedi darllen y daflen mas yn uchel. O'dd Cari'n cofio'r darn am y moron, achos o'dd hi'n lico moron. O'dd ganddi gof da.

'Ti'n lwcus bo' fi 'ma,' bydde Cari'n gweud wrth Mam pan o'n nhw yn Tesco a Mam yn methu cofio beth arall o'dd isie i swper heno. Neu pan fydden nhw'n cario'r bagie o'r siop i'r maes parco – o'dd Cari'n gryf! – a Mam ddim yn cofio ble o'dd hi 'di parco'r car.

'Raps i'r *fajitas*!… Trydedd res, gyferbyn â'r trolis!'

'Fi'n lwcus bod ti 'ma,' bydde Mam yn cyfadde.

Fydde Cari'n ateb Mam, yn gweld ei chyfle,

'Fi'n gwbod, Mam… alla i ga'l bisgïen?'

'Cei, sbo. Ti'n ferch dda, ti'n gwbod.'

'Fi'n gwbod.'

Lan a lawr a lan a lawr ond o'n nhw bron â chyrradd. Hi a Bow.

'Ti'n barod am drît, Bow?'

Do'dd Cari ddim isie diod nawr. O'dd hi'n gwbod beth o'dd hi isie.

'Jo!' gwaeddodd, er ei bod hi'n rhy bell i weithwyr y caffi ei chlywed. 'Jo! O's 'da ti hufen iâ i fi?'

ELEN

'Ti adre'n gynnar.'

Cododd Elen ei llygaid o'r ffeil ar y sgrin wrth i'r drws lithro ar agor. Doedd hi ddim wedi clywed Gwyn yn cyrraedd am ei fod wedi mynd i'r gwaith ar ei feic trydan. Roedd angen yr ymarfer corff arno nawr bod ei ben-lin chwith wedi rhoi'r caibosh ar y rhedeg. Roedd e wedi dechrau magu ychydig o fol, ac yntau wedi brolio erioed y gallai fwyta unrhyw beth heb fagu pwysau. Braf ei fyd.

'Lle ma Bow?' gofynnodd ei gŵr gan edrych o'i gwmpas.

Ochneidiodd Elen yn dawel. Caeodd gaead y gliniadur.

'Gyda Cari. Ma'n nhw 'di mynd i Consti. Ma'n dda iddi fynd mas o'r tŷ. Awyr iach. Ymarfer corff. Iddi hi a Bow.'

Siaradai mewn llaw-fer, bron. Y ddau ohonyn nhw wedi arfer, yn deall ei gilydd i'r dim. Y diffyg ymdrech yn ddiofal.

'Beth am waith ysgol?'

'Dyw hi ddim yn gallu neud hwnnw ar ei phen ei hun, odi hi? Fe wna i ddarllen gyda hi ar ôl swper.'

'Darllan?'

'Mynd dros ei geirie hi, 'te.'

Trwynai Gwyn trwy'r post. Dim byd cyffrous. *Aber Advertiser*, cynnig i adnewyddu yswiriant a 10% oddi ar bitsa Domino's. Rhoddodd y cyfan yn y bin ailgylchu. Oedodd.

'Oes well i mi fynd ar eu hola nhw?'

Doedd e ddim yn gofyn iddi o ddifri.

'Fyddan nhw'n iawn. Cymer baned. Ymlacia am damed bach. Fydd hi 'nôl yn ddigon clou, sbo.'

Nodiodd Gwyn ei ben arni. Ond roedd e'n un sâl am gymryd seibiant. Symudai'n ddi-baid fel dŵr y môr. Un rheswm roedd e wedi bod mor denau ar hyd ei oes. Estynnodd am ei ffôn. Yn syth, gwyddai Elen beth roedd e'n ei wneud. Roedd Gwyn wedi dechrau tracio Cari ar ei fobeil, fel ei fod yn gwybod ble roedd hi pan oedd hi allan. Fe fyddai e'n mynd yn fyr ei amynedd os nad oedd ei ffôn hi wedi'i wefru – rhywbeth roedd Cari yn aml yn anghofio ei wneud. Heb fywyd yn y ffôn allai ei thad ddim gweld ble roedd hi.

'Ti'n wa'th na'r SAS,' meddai Elen un tro.

'Be ti'n gneud? Croesi dy fysadd?'

Roedd hynny'n annheg. Sut berson fyddai Elen petai hi ddim yn gadael i Cari fynd, gan obeithio'r gorau? Doedd hi ddim eisiau cloddio twll yn y ddaear iddi hi ei hun yn poeni ei henaid bob tro y byddai ei merch yn diflannu o'r golwg. Onid dyna roedd pob rhiant yn gorfod dysgu ei wneud? Anadlu'n ddwfn, datglymu'r rhaffau a gwthio'r cwch i'r dŵr? Pam ddylai hi fod yn wahanol? Gwyddai beth fyddai ateb Gwyn i hynny. Am fod pethau ddim yr un peth. Am fod Cari ddim yr un peth. Roedd hi'n gwybod beth fyddai ei ymateb ef iddi hi. Ochneidio gyntaf, yna'r ergyd fyddai'n ei dryllio hi.

'Ddylsat ti 'di arfar erbyn hyn.'

Ddwedodd Elen ddim byd. Daeth Gwyn draw y tu ôl iddi a rhoi ei freichiau amdani.

'Be sy i swpar?' sibrydodd.

★

'Sut mae Cari'n dod mla'n?'

Doedd e ddim yn ormod, oedd e? I ofyn am air o ymateb? Ddim a hithau wedi bod yn chwysu yn y galeri yn gwylio'r nofwyr ers awr ac wedi drybowndian i lawr staer y galeri i dderbynfa fwll y ganolfan hamdden i drio dal yr athrawes cyn iddi ddiflannu. Safai'r dalpen siapus yno'n ddiamynedd, pâr o siorts dros ei gwisg nofio, y gwythiennau bach cochlas ar hyd ei choesau yn arwydd ei bod yn hŷn nag oedd hi'n edrych. Fe allai Elen synhwyro bod ei hwyneb hithau'n goch, ei chroen yn sgleinio, fel petai'r haul ar ei boch. Teimlai dan anfantais am na allai ddangos bod cadw'n heini yn bwysig iddi hi hefyd. Edrychodd yr athrawes ddim arni, ddim i fyw ei llygaid hi ta beth. Roedd yna eiliad neu ddwy o seibiant, fel petai'n ceisio meddwl am ba blentyn oedd hon yn sôn.

'Mae'n dod…' atebodd hi, heb ateb o gwbwl. Roedd ei gwallt yn wlyb ac yn flêr. Siglodd ei phen, yn ffwl stop ar y sgwrs.

Efallai mai'r gwres oedd ar fai. Ond teimlodd Elen y storm yn ei chynhyrfu. Roedd hi'n haeddu gwell na'r ateb tila yna! Roedd hi'n talu arian da am y gwersi, heb sôn am yr ymdrech, y straffîg, y rhuthr o'r swyddfa gan adael gwaith ar ei hanner, er mwyn bod yno i wylio ei merch yn ymlafnio fel morfil mewn dansier. Roedd angen i rywun ddweud wrth Cari y byddai'n fwy buddiol iddi wneud llai o fustachu yn ddigyfeiriad a chadw ei hegni a chanolbwyntio ar y daith.

'Mae 'di gwella, on'd yw hi?' mynnodd Elen.

'Ma hi'n gwella. Ond ma fe'n od. Do's fawr o siâp arni'n nofio ar ei chefn, o's e? Mae'n pallu rhoi ei phen yn ôl yn y dŵr. Fel 'se ofn arni…'

Ac yna, ton annisgwyl.

'… Chafodd hi ddim ei gollwng ar ei phen pan o'dd hi'n fabi, do fe?'

Atebodd Elen mohoni. Yn y foment honno roedd hi'n fud. Ond rhuai'r gwynt trwy wythiennau Elen fyth ers hynny wrth ystyried geiriau hon. Petai hi wedi cael amser i feddwl, i roi trefn ar ei meddyliau tonnog, fe fyddai wedi poeri llond ceg hallt drosti. Yr hen ast. Beth oedd hi'n ei awgrymu? Bod Elen wedi gollwng ei phlentyn ar ei phen pan oedd hi'n fabi? Mai *dyna* pam roedd ei merch fel yr oedd hi – achos roedd hi'n amlwg i bawb bod rhywbeth *mawr* yn bod arni – dyna oedd awgrym hon. Roedd meddwl y gallai Elen garu ei phlentyn yn gwmws fel yr oedd hi y tu hwnt i'r globen!

Ai dyna oedd pobol yn ei feddwl? Mai ei bai hi oedd e? Bod Elen wedi niweidio ei merch ei hun? Bod ôl diffyg difrifol ar fagwraeth Cari iddi fod fel hyn? Mai hi, Elen, oedd y diffyg hwnnw am ei bod mor gwbwl ddiofal nes ei bod hi wedi gollwng ei babi annwyl ar ei phen a heb wneud yr hyn y byddai unrhyw un call wedi ei wneud, sef mynd â hi i'r Adran Frys? Hyd yn oed mewn panig llwyr, fe fyddai'n gwybod y byddai'n gynt ei dreifio hi i'r drws na disgwyl am ambiwlans. A nawr, roedd Elen yn cael ei haeddiant?

Llosgai ei hysgyfaint fel y gwnaent ar ôl rhedeg yn rhy galed. Anadlodd yn ddwfn. Sawl gwaith. Yn trio cael ei gwynt ati.

Peidied neb â meddwl nad oedd hi wedi cwrdd â nhw, y mamau perffaith honedig, â'u slings, eu cewynnau cotwm a'u bwyd organig, diglwten, diflas.

'Cwsg? Fi? Sai'n cofio'r tro dwetha i fi gysgu trw'r nos. Sai 'di yfed dropyn ers i Kai a finne ddechre trio am fabi

– a sai'n gweld isie alcohol *o gwbwl*. Sai'n deall pobol sy'n ysu am win – Seren yr Afon yw'n byd ni nawr.'

Ond doedd y rhan fwyaf o rieni ddim fel hyn. Roedd y mwyafrif fel pawb arall, yn dal mewn sioc bod magu plant yn gymaint o waith, a hynny ar ôl i bethau edrych mor hawdd o bell. Yn dal i fethu deall pam nad oedd neb yn rhannu'r gyfrinach fawr – mae bod yn rhiant yn uffernol o galed! Roedd e mor rhwydd, on'd oedd e, i feirniadu rhieni eraill, i feirniadu eich rhieni eich hun!

Yna rhuthrodd Cari mas o'r stafell newid, yn taro ei bag nofio yn erbyn Elen, yn arwydd mai ei chyfrifoldeb hi oedd ei gario nawr. Chwifiai Cari y daflen damp. Gwenai led ei hwyneb. Llonyddwyd Elen gan y wên gysurlon. Roedd Cari wedi gweld y seren arian sgleiniog ar y papur. Doedd hi ddim wedi deall beth roedd Elen yn ei wybod, bod y seren yn arwydd ei bod hi wedi methu. 'Daliwch ati!' oedd yr ymadrodd yn y blwch. Ond Elen oedd yr unig un o'r ddwy ohonyn nhw a allai roi trefn ar y llythrennau, a allai ddeall eu gwir ystyr.

Gallai glywed llongyfarchion. Mam arall yn bloeddio ei chymeradwyaeth, fel petai'r crwt bach yn y fflipin Olympics. Oedd angen bod mor uchel ei chloch am fathodyn nofio Cam 4? Gwnaeth Elen ei gorau i wenu arni. Ceryddodd ei hun yn dawel. Doedd hi ddim yn gwarafun llwyddiant eraill o ddifri.

'Gawn ni fynd i ôl y bathodyn nawr, Mam? Plis!'

Roedd Cari mor gyffrous. Sut oedd esbonio iddi heb ei brifo?

'Cari? Ti 'di neud yn wych. A'r tro nesa, ma Mam yn siŵr y bydd bathodyn i ti hefyd.'

Diflannodd y wên.

'Fi 'di methu,' meddai Cari, yn fflat fel pancosen.

'Rhaid i rywrai fethu er mwyn i bobol eraill lwyddo.'

Doedd dim syniad gan Elen a oedd ei geiriau yn gwneud synnwyr i Cari. Ond bodlonodd hi ar hynny, ac ar deimlo braich ei mam, yn ei thynnu tuag ati, yn ei chofleidio.

'Dere, awn ni adre. Fydd Dad isie canmol y seren 'ma.'

Dyna oedd hi o hyd, ei seren e. Ond ei fod e'n dangos hynny trwy gadw llygaid Brawd Mawr arni trwy'r ap tracio ar ei ffôn. Datgymalodd Cari ei hun o'r cwtsh a rhuthro am y car. Agorodd drws y ganolfan hamdden ar ei ben ei hun. Anadlodd Elen. Chwa o awyr iach.

CARI

'Lle ti 'di bod?'

'Dad-yyy.'

'Dwi 'di gofyn cwestiwn i ti. Lle ti 'di bod?'

Do'dd Dad ddim yn hapus gyda hi. O'dd Mam yna hefyd. O'dd ei lais e'n gryf, yn gadarn.

'Mae 'di bod i Consti, Gwyn,' medde Mam.

O'dd llais Mam yn gadarn 'fyd. Ond siarad gyda Dad o'dd hi. O'dd Mam yn grac 'da Dad?

'Yndi, yndi, Elen, mae 'di bod i Consti. Ond be mae 'di bod yn ei neud yr holl amsar 'ma?'

'Gad hi fod.'

'Tair awr, Elen!'

Edrychodd Cari ar Mam. O'dd hi'n dawel. Siaradodd Dad, ei lais yn gras.

'Wel? Atab...'

'Dim byd, ocê?'

O'dd Cari'n teimlo'n boeth nawr. O'dd hi isie mynd, dianc. Amser tawel.

'Ti 'di bod yn gneud *rhwbath*. Efo pwy ti 'di bod yn ei neud o?'

O'dd Mam yn edrych arni. O'dd llygaid Mam yn garedig? Do'dd Mam ddim yn grac gyda hi, dim ond gyda Dad.

'Y peth yw, cariad, ma'n grêt dy fod ti'n mynd i Consti i weld dy ffrindie…'

'Ffrindia!'

'Shwsh, Gwyn! Cari, ma'n nhw'n fisi lan 'na. Ma'n nhw'n gweitho. Sdim amser gyda nhw i ddiddanu ti trw'r pnawn.'

'Ma'n iawn, Mam.'

'Wel, 'na fo, 'ta!'

Do'dd Dad ddim yn edrych ar Cari. Ond o'dd Mam yn edrych, yn gweld popeth.

'Ma Dad a fi yn poeni…' medde Mam.

Fe allai Cari deimlo Mam yn staran arni. Cymyle du yn yr awyr.

'Gadwch fi fod!' Ei llais fel corwynt.

O'dd Cari 'di dechre camu trwy ddrws y gegin. O'dd hi'n bwriadu mynd lan stâr i'w stafell. Gorwedd ar y gwely. Troi'r teledu mla'n. Beth fydde'r teulu ar YouTube yn neud heddi? Ro'n nhw'n neud pethe cŵl, pethe fydde Cari'n hoffi neud. Agor anrhegion er ei bod hi ddim yn ddiwrnod pen-blwydd… cysgu ar y trampolîn trw'r nos am fod rhywun wedi'u herio nhw… ca'l diwrnod cyfan ble o'dd Mam a Dad yn goffod gweud 'ie' trw'r dydd… O'dd Cari wedi ca'l diwrnod Mam a Dad yn gweud 'ie' trw'r dydd. Diwrnod gore eu gwylie nhw yng ngogledd Cymru yn yr haf.

'Cari, beth am y cwningod?'

Stopiodd Cari. Gwenodd wrth feddwl am Tom Bassey a Shirley Jones. Nage!

'Tom Jones a Shirley Bassey – fi'n gwbod!' atebodd Cari Dad.

'Ty'd i'w bwydo nhw, 'ta, cyn i ti dynnu dy sgidia a diflannu fyny grisia.'

O'dd hi wedi bod yn begio Dad a Mam am y cwningod. Begio am amser hir iawn. 'Blynyddo'dd,' esboniodd Mam wrth Mam-gu.

Yn y diwedd, Mam-gu o'dd wedi helpu Cari i berswadio Mam a Dad. O'dd Cari'n hoffi Mam-gu. O'dd Mam-gu yn prynu siocled iddi a gadel iddi ei fyta fe'n syth heb weud wrthi am 'gofio golchi dy ddannedd'. O'dd hi isie joio sugno'r siocled, rhwng ei dannedd, heb feddwl am flas mint past dannedd yn ei cheg. O'dd Cari'n ffaelu deall Mam a Dad weithie. Yn ffaelu enjoio heb feddwl am gliro lan ar eu hole.

O'dd Mam yr un peth am y cwningod. Yn gweud yr un peth trw'r amser am flynydde.

'Ma 'da fi fwy na digon ar fy mhlât heb ddechre glanhau gwely cwningod.'

Yn meddwl am y pethe drwg, yn lle meddwl am y pethe da. O'dd llwythi o bethe da am gadw cwningod: gwthio dail dant y llew trw'r twll yn y cwt a'u gweld nhw'n rasio tuag atyn nhw... gwylio eu trwyne nhw'n twitsio wrth fyta'n glou, glou... rhoi cwningen ar eich côl, rhoi da fach a theimlo'r blew yn feddal fel sidan, yn fwy meddal na Bow y ci. 'Sori, Bow. Fi'n caru ti hefyd, Bow.'

★

O'dd Cari a Mam-gu wedi ca'l sgwrs fach am y cwningod cyn ei phen-blwydd. O'dd y ddwy yn eistedd ar y soffa yn rhoi taflenni mewn amlenni i'r Cyngor.

'Ma fe'n odli, ti'n gwbod – taflenni ac amlenni.'

'Odi, odi – ma hynny'n odli hefyd,' atebodd Cari.

O'dd Cari yn hoffi helpu, ond do'dd hi ddim yn siŵr am y dasg yma. O'dd pob taflen yr un peth, ond do'n nhw ddim i gyd yn mynd mewn i'r amlenni yn deidi.

'Beth fi'n neud?' gofynnodd Cari iddi hi ei hun.

Ond fe atebodd Mam-gu. 'Rhoi gwybodeth i bobol am help i dalu costau trydan. Ma'n nhw 'di mynd trw'r to achos Putin.'

Edrychodd Cari ar y to. O'dd y gole mla'n 'da Mam-gu er ei bod hi ddim yn dywyll iawn tu fas. O'dd Cari'n aros gyda hi dros nos yn y byngalo. Gan fod dim byd arall mla'n 'da Mam-gu – dim cyfarfod y Cyngor – o'dd hi wedi gweud y gallai Mam a Dad fynd mas i swper. O'dd Mam a Dad yn hoffi mynd mas i swper gyda Cari hefyd. Ond o'dd e'n bwysig iddyn nhw fynd ar eu penne'u hunen weithie. Do'dd Cari ddim yn siŵr pam. Ond 'na beth o'dd Mam-gu yn gweud.

'Ma Mam a Dad yn caru'i gilydd,' medde Mam-gu.

'Ma'n nhw'n caru fi hefyd, chi'mod, Mam-gu.'

'Odyn, wrth gwrs eu bod nhw,' chwarddodd Mam-gu yn ysgafn. 'Ond ma'r ffordd ma'n nhw'n caru ei gilydd yn… wahanol.'

'Shwt?' gofynnodd Cari.

Do'dd Mam-gu ddim yn chwerthin rhagor. Cymerodd y daflen stwbwrn gan Cari a'i rhoi yn yr amlen.

'Wel, ma'n nhw'n cwtsio ei gilydd,' medde Mam-gu.

'Ma'n nhw'n cwtsio fi.'

'Ma'n nhw'n cusanu, 'te.'

'Ma'n nhw'n cusanu fi hefyd.'

'Ond… ond… ma'n nhw'n briod, felly ma fe'n wahanol.'

'Cwtsio a chusanu gwahanol?'

'Ie.'

'Shwt?'

'Falle fod well i ti drafod hyn gyda Mam.'

Rhoddodd Mam-gu daflen arall i Cari. Gadawodd Cari i'r daflen gwmpo ar lawr.

'Ga i briodi?' gofynnodd.

'Yyy, falle, un diwrnod… Ond does dim *rhaid* priodi.'

'Odych chi'n briod, Mam-gu?'

'Wel, mi o'n i... So ti'n cofio Dat-cu, wyt ti?'

Siglodd Cari ei phen.

'Odych chi'n cofio Dat-cu?'

'Odw, wrth gwrs bo' fi.'

Blinodd Mam-gu ar y taflenni hefyd.

'Pan o'n i dy oedran di o'dd e'n gyfrinach fowr, ti'mod. Bod dim rhaid priodi. O'dd merched yn meddwl mai 'na beth o'n nhw fod i neud. Ond ni'n gwbod yn well nawr. Sdim rhaid i ni ferched briodi i lwyddo yn y byd 'ma.'

'Fi bron yn un deg whech. Ga i gwningod, chi'n meddwl, Mam-gu?'

'Wel, nawr, 'na ti gwestiwn mowr. Wyt ti'n mynd i ofalu ar eu hole nhw? Eu bwydo nhw? Rhoi dŵr glân iddyn nhw? Ma cwningod yn greaduried sychedig, ti'n gwbod.'

'Fi'n gwbod.'

'Fydd angen cadw'r cwt yn lân. Ma'n nhw'n greaduried deallus, ond ma'n nhw'n fisi iawn hefyd.'

'Fe wna i bopeth, fi'n addo. Wnewch chi rwbeth i fi, Mam-gu?'

'Wrth gwrs.'

'Gweud wrth Mam bo' fi isie cwningod.'

Siglodd Mam-gu ei phen ar hynny a chwerthin.

'O, da iawn ti! Ti 'na i gyd, on'd wyt ti!'

Chwarddodd Cari hefyd. O'dd hi'n hoffi Mam-gu. Fe allai ei throi hi rownd ei bys bach.

ELEN

Doedd dim byd yn bod ar yr hyn roedd hi'n wneud, oedd e? Doedd hi ddim yn mynd yno'n unswydd. Mynd i redeg oedd Elen. Ac roedd hi'n digwydd rhedeg i fyny heddiw, i fyny'r rhiw fyddai'n dod â hi i ben Consti, at y parc pleser Fictoraidd, lle roedd y bwyty a'r gweithwyr yn digwydd bod, a hynny cyn iddi fynd i lawr y llwybr llithrig yr ochr arall i'r clogwyn a thuag at y prom. A phetai hi'n gweld un o'r criw oedd yn gweithio yn Consti, wel...

Gwiriodd y stats ar ei Garmin. Roedd ei chalon hi'n curo'n gynt nag arfer. Arafodd y pês rhyw ychydig, anadlu'n ddwfn sawl gwaith ac yna ceisio rheoli ei hanadl. Gwyddai mai'r rhiw gyntaf hon oedd yr ymdrech waethaf. Unwaith iddi gyrraedd tŷ 'Grand Designs' Rom a Barry fe fyddai hi mas o bwff, ond fe fyddai'r ddringfa fwyaf serth y tu ôl iddi a'r llwybr yn newid ei siâp fel ei fod yn mynd i lawr yn ogystal â lan wrth iddi anelu am y copa a'r olygfa anhygoel. Fe fyddai'n cael ychydig o amser i gael ei gwynt ati, i ddod o hyd i'w llais unwaith eto. Fe fyddai hi angen hwnnw petai'n digwydd bwrw mewn i Nadine.

Fe fyddai'n hollol naturiol i Elen atal ei cherddediad

i ddweud 'helô' wrth y rheolwraig ifanc a chyflogwr ei merch. Fe fyddai'n anghwrtais peidio, meddyliodd, wrth fynd heibio i bwll pysgod ei chymdogion ar y bryn oedd yn ddigon mawr i forfil ymgartrefu ynddo. Fe fyddai'n rhyfedd petai hi *ddim* yn holi sut oedd pethau'n mynd gyda Cari. Nid elusen oedd datblygiad Consti, wedi'r cwbwl. Roedd Elen eisiau gwneud yn siŵr bod ei merch yn... yn beth? Yn gwneud ei gorau? Yn tynnu ei phwysau? Roedd Cari'n cael arian bach da am weithio yn y caffi, ac yn cael caniatâd i helpu ei hun i ddiod o'r oergell. Fydden nhw hyd yn oed yn cynnig swper iddi weithiau. Roedd Cari wrth ei bodd yn gwrthod cwcan cartre ei mam am ei bod eisoes wedi llenwi ei bol gyda nygets cyw iâr a sglods o Consti.

Roedd hi wedi holi Cari sut oedd pethau'n mynd, wrth gwrs. Sawl gwaith. Ond allai hi ddim bod yn siŵr am atebion Cari. Doedd hi ddim yn dweud celwydd, ond ei fersiwn hi o'r gwir fyddai hi'n ei rannu wrth ailadrodd ei hanes. Ac efallai fod hynny'n wir am bawb. Prin yw'r rhai sydd yn llunio darlun cywir o'u hanes. Rhaid cynilo ar y gwir a chreu ein storïau ein hunain i ddisgrifio beth sy'n digwydd i ni, y gwych a'r gwachul, lliwio er mwyn ychwanegu hiwmor neu i ennyn cydymdeimlad, i wneud ein bywydau ni'n ddifyr ac yn dderbyniol i bobol eraill.

Roedd hi'n colli'r pethau bach, dinod – hi, Cari – iaith

y corff a'r olwg ar wynebau pobol oedd yn dweud llawer mwy nag unrhyw eiriau. Roedd Elen yn ceisio gwneud yr anweledig yn weladwy drosti hi. Yn dod â'r hyn oedd ynghudd i'r golwg ac yna'n ei guddio eto, os oedd angen, fel na fyddai'n rhaid i Cari weld y gwaethaf. 'Maldodi,' meddai mam Elen wrth farnu ei sgiliau fel rhiant, fel petai hi o flaen aelodau eraill y Cyngor Tref.

Ar ben y clogwyn, roedd y cownter hufen iâ yn wag, gwaetha'r modd. I'r cyfeiriad arall roedd llwybr serth y ceblau haearn, oedd yn araf lusgo cerbydau'r trên ar gyflymder o bedair milltir yr awr. Yna, gwelodd Nadine yn prysuro at y bwrdd agosaf, yn estyn y clwtyn oddi ar ei brat gwyn ac yn glanhau'r byrddau gyda rhyw hylif stecslyd atal Covid. Edrychodd y groten ifanc ar Elen yn ei siorts rhedeg, ei threinyrs, ei hwyneb yn binc fel machlud yr haul, siŵr o fod.

'Da iawn,' meddai, gan gyfeirio at ymdrech Elen. Roedd wyneb Nadine yn ffres ac yn ddigolur, ei chroen yn welw fel ewyn y môr.

'Fi'n trio,' atebodd hi.

Gwenodd Nadine wrth iddi fynd yn ôl tuag at y caffi. Safai Elen yno o hyd.

Roedd hi wedi bwriadu rhedeg i lawr y bryn, ar hyd y prom a thuag at y llwybr beicio nes iddi gyrraedd Morrisons. Doedd hi ddim yn ddiwrnod heulog, ond roedd hi'n drymedd ac roedd hi wedi esgeuluso'r belt dŵr. Teimlodd ym mhoced ei siorts am y bunt roedd hi wastad yn ei chario. Efallai y byddai'n gall iddi gael diod cyn mynd ymhellach. Aeth i mewn i'r caffi a helpu ei hun i botel o ddŵr.

'Popeth yn iawn 'da Cari?' Taflodd ei llais tuag at Nadine oedd yn brysur tu ôl i'r bar erbyn hyn.

Ciciodd Elen ei hun am ofyn cwestiwn caeedig.

'Odi.' Gwenodd honno wên fawr.

'O, gwd… Mae'n mwynhau… dod yma… i weithio…' prociodd Elen.

Nodiodd Nadine yn garedig. Oedd ei gwên yn ormod?

'O'n i isie neud yn siŵr, bod popeth yn iawn. Os o's rhwbeth…?' holodd Elen.

Atebodd y llall ddim am eiliad neu ddwy.

'Fydda i'n neud yn siŵr 'mod i yma, pan fydd hi'n gweithio, chi'mod, rhag ofn.'

'O's rhwbeth wedi digwydd?'

'Nag oes… Peidiwch poeni.'

'Mae'n siarad lot amdanoch chi. Chi'n garedig iawn wrthi. Pob un 'noch chi. Ribidirês o enwau. Dwi ddim yn cofio'n iawn. Ddim yn siŵr pwy yw pwy. Ceri… Sasha… ac Ella… A Jo wrth gwrs gyda'r hufen iâ. Ma Cari wrth ei bodd gyda'ch cwmni chi ferched…'

Roedd Nadine ar fin dweud rhywbeth. Ond rhaid ei

bod hi wedi newid ei meddwl achos ddaeth yr un sŵn o'i gwefusau hi.

'Sori?' Ceisiodd Elen ei phromtio hi. Oedd yna rywbeth y dylai hi ei wybod?

'Dim byd,' atebodd Nadine, y cryndod lleiaf yn ei gwên.

'Fydd rhaid i fi ddod lan am ginio rhywbryd – cwrdd â ffrindie newydd Cari.'

Nodiodd Nadine eto. 'Mwynhewch y rhedeg,' meddai.

Cofiodd Elen pam roedd hi yno. 'Ie, well i fi fynd, cyn i'r corff oeri.'

Dilynodd Nadine hi allan. Rhedodd Elen yn araf bach i ddechrau a throi ei phen am yn ôl cyn mentro disgyn i lawr y clogwyn. Roedd Nadine eisoes wedi cefnu arni. Bwrodd Elen olwg tuag at y ciosg hufen iâ. Gwelodd fod merch a edrychai yn ddigon ifanc i fod yn ddisgybl ysgol wedi ymddangos yno. Ond roedd hi'n rhy hwyr heddiw i droi yn ôl i ganfod ai hon oedd Jo.

CARI

'Fydd dim isie nôl fi o'r ysgol heddi.'

'Pam 'lly? Paid â deud bod y blincin ysgol yna ar gau heddiw eto.' Edrychai Dad ar ei ffôn. Do'dd e ddim yn gwenu.

'Fi'n mynd i gerdded adre.'

'Sdim isie i ti neud 'na, cariad. Ddeith Mam i ôl ti.' Rhoddodd Mam ei phowlen frecwast yn syth yn y peiriant. O'dd Mam yn hoffi siarad am roi pethe'n syth yn y peiriant.

'Mae Mam yn gweithio, tydi. Fyddi di'n iawn yn cerddad, fyddi?'

'Ie, bydda.'

Tynnodd Dad bowlen Mam mas o'r peiriant. Rhoddodd y bowlen 'nôl yn y peiriant, ond mewn lle arall. O'dd Dad yn hoffi neud hynny.

'Ma'n eitha pell o'r ysgol i'n tŷ ni, Gwyn.'

'Nag'di, siŵr. Fydd digon o gwmni wrth gerddad ar hyd yr Avenue. Fydd 'na stop hannar ffordd, bydd, Cari? Brêc yn Lidl i brynu bach o danwydd ar gyfar y siwrna.'

Rhoddodd Mam ei llwy yn y peiriant. Sythodd Dad y llwy. Am funud fach do'dd Mam ddim yn gwenu, yna, edrychodd ar Cari ac o'dd, o'dd hi'n hapus 'to.

'Fydd Hanna'n cerdded gyda ti i'r stesion?' gofynnodd Mam.

'Syniad da, Mam. Cwmni ar hyd y ffordd.'

Yna, sibrydodd Dad, ond o'dd Cari yn dal i allu ei glywed e: ''Sa well gen i gerddad 'ben fy hun na chael cwmni'r Llipryn Llwyd Hanna yna.'

'Gwyn.'

'Be?'

'Beth, Dad?'

'Anwybydda Dad.'

'Sai'n cerdded 'da Hanna.'

O'dd Mam yn edrych arni hi.

'Beth sy'n bod, Cari? Hanna yn iawn?'

'Ie.'

'Erioed 'di bod yn iawn os ti'n gofyn i fi,' medde Dad. O'dd e'n tynnu co's?

'Gwyn...! Pam so chi'n cerdded gyda'ch gilydd, 'te?... Cari?... Ti'n clywed fi, Cari?'

Do'dd hi ddim isie gweud wrthyn nhw, ddim wrth Dad ta beth. Ond ddaeth e mas o'i cheg hi.

'Dyw hi ddim yn siarad â fi.'

Aeth pawb yn dawel fel y bore bach. Edrychodd Mam a Dad ar ei gilydd.

'Pam 'ny?' Mam ofynnodd.

'Sai'n gwbod.'

★

Do'dd Cari ddim yn gwbod beth o'dd yn bod ar Hanna. O'dd Cari wedi gweud 'helô' wrthi bore ddoe. Ond do'dd Hanna ddim wedi gweud 'helô' yn ôl. O'dd Mrs Sioned Mason wedi gweud wrth Cari am ddechre sgwrs trwy weud 'helô'. O'dd Cari wedi bod yn ymarfer gyda Tom a Shirley, y cwningod.

'Helô, Tom. Helô, Shirley.'

Ymarfer yn uchel fel ei bod hi'n teimlo'n fwy cyfforddus wrth siarad â phobol. 'Na beth wedodd Mrs Mason. Do'dd y cwningod ddim yn gweud dim byd 'nôl, wrth gwrs. Ond o'dd hynny'n iawn. O'dd Cari'n gwbod eu bod nhw'n hoffi hi achos o'n nhw'n ishte'n llonydd pan o'dd hi'n mwytho nhw. Ond do'dd pethe ddim yn iawn gyda Hanna. Pan wedodd Hanna ddim byd 'nôl, o'dd hynny *yn* meddwl rhwbeth. O'dd e'n meddwl peth drwg – yn meddwl bod Hanna ddim isie siarad gyda Cari. O'dd bol Cari'n troi. O'dd hi'n teimlo'n sâl. Rhwbeth ych a fi yn ei gwddf. Do'dd hi ddim yn gwbod beth i weud wrth Hanna. Do'dd hi ddim wedi ymarfer hyn gyda Mrs Mason na Tom a Shirley.

Amser egwyl o'dd Hanna wedi mynd mas o'r stafell ddosbarth cyn Cari. O'dd hi wedi estyn ei chot erbyn i Cari gyrradd y locyrs am fod sawl un o fla'n Cari, a hithe'n ffaelu gwthio heibio iddyn nhw. Dechreuodd Cari wisgo ei chot. O'dd rhwbeth yn bod, y llewys yn sownd y tu mewn iddi. 'Llewys,' meddai'n uchel.

Stryffaglodd. Unweth o'dd y got amdani estynnodd Cari am y creision o'i bag. O'dd hi'n dal i deimlo'n od iawn. Ai isie bwyd o'dd hi? Aeth hi ar ôl Hanna a'i gweld hi ar yr iard. O'dd Hanna'n sefyll yna. Yn syllu ar Cari. Yn aros amdani?

'Helô, Hanna… Helô, Hanna…' galwodd ar ei ffrind.

Symudodd honno man 'co ddim. Rhuthrodd Cari ati, cyn iddi ei cholli eto. Edrychodd Hanna arni. Do'dd hi ddim yn anwybyddu Cari, 'te.

'Helô,' medde Cari, fel o'dd hi i fod.

'Cer o 'ma… Cer 'nôl i'r Uned,' medde Hanna. Do'dd hi ddim yn gwenu.

Gwelodd Cari lun y poster yn yr Uned yn ei phen. Yr wynebe du a gwyn gyda'r cege pob siâp. O dan bob wyneb o'dd gair. Hapus… trist… ofnus… crac… O'dd Cari'n gwbod y geirie ar ei chof. 'Teimlo' o'dd Miss Pugh yn eu galw nhw. Nage. 'Teimladau' o'dd gair Miss Pugh. Miss Pugh o'dd pennaeth yr Uned. O'dd gan bawb deimyl-adau. O'dd e'n naturiol. Ond do'dd pawb ddim yn dangos eu teimlade nhw. Dyna pryd o'dd angen edrych ar yr wyneb… i weld beth o'dd rhywun yn teimlo tu mewn.

'Wyt ti'n hapus, Cari?' gofynnodd Miss Pugh.

'Odw,' atebodd Cari.

'Wyt ti'n drist, Cari?' gofynnodd Miss Pugh.

'Odw,' atebodd Cari.

Oedodd Miss Pugh, yna cododd ei llaw hanner ffordd a gofyn cwestiwn arall.

'Wyt ti'n hapus yn yr ysgol, Cari?'

'Na.' Siglodd Cari ei phen. O'dd gwên fawr ar ei hwyneb hi.

'Wyt ti'n drist yn yr ysgol?'

'Odw.' Gwenodd Cari.

O'dd Cari'n hapus ar ôl ateb Miss Pugh. Ond do'dd Miss Pugh ddim yn edrych yn hapus ar ôl clywed yr atebion.

Edrychodd Cari ar wyneb Hanna. Do'dd Hanna ddim yn gweiddi arni – felly, do'dd hi ddim yn grac gyda hi? Ond do'dd hi ddim yn gwenu – felly, do'dd hi ddim yn ffrind iddi chwaith? Safodd Cari yn gwylio ac yn gwrando. Roedd yr iard yn lle mawr ac unig yn sydyn iawn. O'dd rhai yn chware pêl-dro'd a rhai yn siarad neu rwbeth. O'dd Cari'n difaru peidio mynd i'r llyfrgell fel o'dd hi'n neud mewn tywydd ofnadwy. Cofiodd am y dydd y tarodd y bêl ei hwyneb hi. Yn galed. Damwen, medde Miss Pugh. O'dd hi wedi gadel ei marc. Gwelodd Cari wylan unig yn pigo ei ffordd ar hyd yr iard. Cododd yr wylan ei phen a chrio'n drist.

Teimlodd Cari ei llygaid yn llenwi, y lwmp yn ei gwddf. O'dd hi'n anodd anadlu. Cerddodd oddi yno gan lyncu yn galed, fwy nag unweth. Aeth ar hyd yr iard, ei phen i lawr fel yr wylan. Cyrcydodd wrth y caban. O'dd rhai o'r plant yn chware pêl-dro'd ar yr ochr draw, ond o'n nhw'n methu ei gweld hi fan hyn. Estynnodd am y pacyn creision. O'dd e'n pallu agor. Rhwygodd. Agorodd y bag yn flêr. Dechreuodd stwffo ei cheg, y bwyd yn hallt fel dagrau.

*

O'dd Tom isie rhoi cusan iddi. O'dd e mor agos at roi cusan iddi hi. Aaaa, Tom! O'dd hi wedi rhoi'r gwningen i ishte ar ei chôl. O'dd hi wedi anghofio estyn y tywel. Ond fydde fe'n iawn.

'Ma'n iawn, Mam.'

'Fydd e ddim yn iawn os fydd Tom yn neud ei fusnes ar dy drowsus ysgol di.'

'Fyddi di ddim yn neud dy fusnes, fyddi di, Tom?'

'Ti'm yn gwbod. Anifail yw e.'

O'dd Cari wedi ei godi fe mas o'r cwt ar ei phen ei hunan. O'dd y gwningen wedi gadel iddi ei ddal e, heb iddo redeg i ffwrdd. O'dd ei goese ôl wedi dechre troi unweth iddi ei godi fe o'r gwellt. Fel tase fe'n seiclo. Ond o'dd e ffaelu mynd i unman.

'Cofia ddal ei ben ôl e.'

'Fi'n gwbod, Mam.'

O'dd hi'n gwbod. Rhoddodd ei llaw o dan ei ben ôl,

fel ei fod yn teimlo'n saff wrth iddi ei gario draw at y fainc. Eisteddodd, a setlodd Tom ar ei choese hi, yn ddisymud.

'Sai'n credu bydd Tom yn mynd at neb arall, wyt ti, Mam?... Drycha, Mam... Aaa, Tom!'

Rhaid ei fod e'n gysurus iawn yn ei chwmni hi achos o'dd e wedi dechre busnesu. Symud ei drwyn i ddechre, ffroeni'r aer. Yna, dringodd e lan ei throwsus hi, lan ei siwmper hi nes bod ei drwyn bach e'n cyffwrdd â'i chroen hi.

'Ma hynna'n ticlo, Tom!'

Gwyliodd Cari lygaid sgleiniog y gwningen, yn gwibio 'nôl a mla'n. O'dd e'n gallu ei gweld hi? Neu o'dd e'n gweld y byd gyda'i drwyn?

'Aaa! Fi'n caru ti i'r lleuad a 'nôl!'

Pan gafon nhw'r cwningod gynta o'dd Cari angen help i'w codi nhw o'r cwt. O'n nhw'n rhedeg bant, eu traed mawr yn thwmp-thwmpian yn erbyn y llawr. Y cyrff cyflym, y blew meddal yn llithro rhwng ei bysedd, fel pysgod mewn dŵr. I ddechre, o'dd Mam a Dad yn hapus iawn i'w helpu hi, ond wedyn, un diwrnod, o'dd Mam wedi gweud 'Na'. O'dd Mam yn brysur, o'dd angen i Cari ddysgu eu codi nhw ei hunan.

'Dy gyfrifoldeb di yw'r cwningod,' medde Mam.

O'dd hi wedi cymryd bach o amser i Cari ddod ben

â'u codi nhw ar ei phen ei hunan. Os o'n nhw'n dianc oddi wrthi, o'n nhw'n mynd i guddio. Tonne rhwng y creigie. O'dd Cari'n gwbod ble o'n nhw – mewn man ble o'dd hi'n amhosib eu hestyn nhw.

'Ma hyn yn amhosib, Mam,' medde hi i ddechre.

'Dal ati, 'te,' medde Mam.

'O, ma'n nhw'n giwt iawn!' medde Mam-gu.

O'dd hynny'n golygu rhwbeth gwahanol yn iaith Mam-gu. O'dd 'ciwt' Cari yn golygu 'clyfar iawn' i Mam-gu.

O'dd Cari wedi dysgu aros, yn an-ym-eddgar – yn *am*-yn-eddgar. Do'dd hi ddim y gore am aros.

'Bach o amynedd, Cari.'

'Fi'n gwbod.'

Yna, fe fydde hi'n gafel ynddyn nhw, yn glou. Yn eu codi nhw lan cyn y gallen nhw ddianc, y diawled bach.

'Blydi cwningod.'

'Iaith, Cari. Pwy sy'n siarad fel'na?'

'Neb,' atebodd Cari. Mam-gu o'dd yn siarad fel'na pan o'dd hi'n gwylio *Question Time*.

*

'Blydi Torïaid!' medde Mam-gu wrth y teledu.

O'dd e wedi cymryd bach o bractis i Cari godi'r cwningod. Ei bysedd hi. Do'n nhw ddim wastad yn neud beth o'dd hi'n gofyn iddyn nhw neud. O'n nhw'n araf, yn lletchwith.

'Dyna beth yw Dys-prac-si-a,' medde hi yn ei phen.

Do'dd hi ddim wedi rhoi lan. Ddim wedi ildio – er y Dyspracsia o'dd yn troi codi cwningod yn waith caled.

'Ti'n dda gydag anifeilied. Falle licet ti witho gydag anifeilied rhyw ddydd.' Dyna ddwedodd Mam-gu ar ôl ei gweld hi gyda'r cwningod.

'Falle,' atebodd Cari Mam-gu.

Do'dd Cari ddim yn gwbod beth o'dd hi isie neud. O'dd hi'n mynd i aros yn y Chweched. Yna mynd i Goleg Ceredigion. O'dd cwrs gyda nhw iddi. Cwrs blasu. Treial gwahanol bethe i weld beth o'dd hi'n hoffi, fel blasu gwahanol fathe o hufen iâ. Dyna sut fydde hi'n gwbod beth o'dd hi isie neud. Beth o'dd hi am fod.

'Ti'n lwcus iawn, yn ca'l treial y cyrsie gwahanol 'ma, i weld pa un sy'n siwto,' medde Mam-gu. 'Yn fy nydd i, do'dd dim dewis i ga'l i ni fenywod.'

Do'dd Mam-gu ddim yn hen, ei gwallt hi ddim yn wyn na'i chroen yn gryche fel mewn hen, hen lunie. Ond o'dd hi'n anodd meddwl am Mam-gu fel merch.

'Chi ddim yn edrych yn hen, Mam-gu.'

'Fi'n lliwio 'ngwallt a cha'l *facials*, 'na shwt fi'n edrych yn ifanc,' atebodd hi.

'Beth o'ch chi isie bod pan o'ch chi'n ifanc, 'te?'

'O, wel, ma hynny'n hawdd. O'n i isie fy nheulu bach fy hunan.'

'Priodi?'

'O'n, mi o'n i. Ges i ddim fy magu i feddwl y bydden i'n mynd i'r coleg, t'wel... fel ti.'

'Beth fyddech chi'n neud heddi, 'te, Mam-gu?'

'Wel, dere i ni weld...' O'dd Mam-gu yn meddwl, yn edrych mas trw'r ffenest a lan i gyfeiriad y sêr.

'Astronot?' cynigiodd Cari.

'Dim astronot – *vertigo*,' chwarddodd Mam-gu.

'*Go* ble, 'te, Mam-gu?'

'Weda i wrthot ti... 'sen i 'di lico bod yn athrawes.'

Edrychai Mam-gu yn hapus. O'dd hi'n edrych i'r pellter, ei meddwl hi'n bell fel y gorwel.

'O'ch chi arfer rhoi gwersi darllen i fi, chi'n cofio, Mam-gu?'

'Fi'n cofio. O't ti'n neud yn dda 'fyd.'

Nodiodd Cari. Ond do'dd hi ddim yn cytuno. Do'dd hi ddim y gore am ddarllen o hyd. Pan edrychodd Cari ar Mam-gu o'dd ei llygaid hi'n llanw.

'Chi'n iawn, Mam-gu?' gofynnodd Cari.

Sychodd Mam-gu ei llygaid yn glou.

'Fel y boi,' medde hi.

★

Ond do'dd Mam ddim fel y boi. O'dd rhwbeth yn ei phoeni hi. Dechreuodd Cari siarad.

'Pan ges i'r cwningod o'n nhw'n rhedeg bant wrtha i... ond nawr ma'n nhw'n nabod fi – dy'n nhw ddim yn rhedeg bant. Ma'n nhw'n hoffi cwmni fi.'

'Ti'n iawn,' medde Mam, cryche hen fenyw ar ei thalcen. O'dd angen *facial* ar Mam?

'Mam?'

'Ie.'

'Mam?'

'Ie, Cari...'

'Odi pobol 'run peth â'r cwningod? Yn rhoi'r gore i redeg bant... unweth bo' nhw'n nabod ti.'

'Nag y'n. Ma pobol yn greaduried od iawn. Os nag y'n nhw moyn bod gyda ti, man a man eu gadel nhw i fynd.'

'Ma brân i bob brân, medde Mam-gu!'

'O's.'

'Neu gwningen i bob cwningen!'

Rhoddodd Cari'r wên yn ôl ar wyneb ei mam.

ELEN

Roedd Cari wedi gwrthod ei chynnig am ginio pan ddaeth hi a Bow trwy'r drws, yn swnllyd. Ro'n nhw wedi bod ar ben Consti am ddwy awr, ond er bod y ci wedi anelu'n syth am y fowlen ddŵr, ac wedi llowcio'n swnllyd nes y bu bron iddo dagu, roedd Cari wedi datgan ei bod hi'n 'iawn'.

'Ma Tom a Shirley isie sylw,' meddai wrth Cari.

O leiaf roedd Elen wedi gallu darparu'r cwningod iddi, meddyliodd wrth ei gwylio hi'n paratoi gwair glân. Fe fyddai dod o hyd i ffrind ffyddlon yn fater ar gyfer fory.

'Gest ti amser da?' Ceisiodd Elen ddangos bach o ddiddordeb ar ôl i Cari orffen bwydo'r anifeiliaid. Roedd hi newydd anfon y pwyntiau gweithredu at Gavin yn y swyddfa ac felly roedd hi'n credu ei bod hi'n haeddu hoe fach i gyfathrebu gyda'i merch.

Do, fe gafodd hi amser da, ac oedd, roedd pawb wedi gwneud ffys mawr o Bow – ar wahân i Ella, oedd adre'n sâl, ond dim Covid oedd arni, diolch i'r drefn.

'Beth 'nest ti, 'te?'

'Ges i Flake heddi gan Jo.' Cynigiodd Cari y tamaid

o wybodaeth fel petai newydd ei ddal yn y gwynt, fel deilen oedd yn bygwth hedfan i ffwrdd.

'Oedd gen ti bres?'

'O'dd dim angen.'

'Dim angen! Fydd yr hwch yn mynd trwy'r siop os fydd e lan i'r Jo yna, glei.'

'Hwch? Hw-wch!'

Chwarddodd Cari ar y gair digri a chwarddodd Elen gyda hi. Roedd hi'n methu peidio. Roedd gweld ei merch yn hapus yn rhoi gwên ar ei hwyneb hithau. Roedd llawenydd ei merch yn llenwi ei chalon hi. Yn ei chwmni fe allai Elen ymollwng o'r byd a'i dderbyn â'i holl ffaeleddau.

'Yw pawb yn cael Flake gan y Jo yma?' gofynnodd Elen yn ddidaro.

Chwarddodd Cari a siglo ei phen yn ffyrnig. Yn llawn hwyl o hyd. Ond roedd rhywbeth am y ffordd yr oedd ei chroten fach yn taflu tân gwyllt ei gwallt yn ôl, yn edrych i lawr, yn gwenu iddi hi ei hun. Sobrodd Elen.

'Ai merch neu fachgen yw Jo?'

'Mam!'

'Beth?'

Cododd ochr dde gwefus Cari a chwyrnu. Roedd hynny'n ddigon o ateb i Elen. Trodd ei stumog. Roedd hi wedi cymryd yn ganiataol mai merch oedd hi, y Jo yma, wedi teimlo'n falch bod ffrind arall gan Cari. Fe ddylai Elen fod wedi arfer mwy o ofal. Ei bai hi oedd hyn.

'Felly, y *bachgen* yma, Jo. *Fe* sy'n neud hufen iâ?' Baglodd dros y geiriau, ei hanadl yn fyr, ond roedd Cari wedi ei deall.

'Fe yw'r gore am hufen iâ. Mae ei law e'n ddim ffrwyth, medde Sasha.'

Oedodd Elen i feddwl.

'Yn ddiffrwyth?'

'Ie.'

'Diffrwyth – dwed y gair.'

'Diffrwyth. Pam?'

'Ma'n bwysig i ddweud pethe'n iawn. Er mwyn i bobol ddeall yn iawn.'

'Pam?'

Holi i gau ceg ei mam oedd Cari. Fe wyddai Elen hynny. Ond wnaeth hynny ddim ei hatal rhag ceisio esbonio i'w merch.

'Dyspracsia – dyna'r gair i ddisgrifio dy gyflwr di. Ma'n bwysig bod pobol eraill yn deall hynny er mwyn iddyn nhw dy ddeall di. Ma'n bwysig i Jo bod pobol yn ei ddeall e.'

Crymodd Cari ei hysgwyddau. Roedd hi'n dechrau colli diddordeb, yn hwylio i ffwrdd yn feddyliol. Ceisiodd Elen ei llywio hi'n ôl at y sgwrs.

'Beth yw ei oedran e?' gofynnodd i Cari.

'Sai'n gwbod.'

'Odi fe 'run oedran â ti?'

'Na.'

''Run oedran â Mam, 'te?'

'Mam-yyy!'

Doedd hi ddim yn siŵr a oedd hi'n cael yr atebion cywir ganddi. Allai Elen ddim helpu ei hun. Pam oedd y dyn hwn – achos dyn oedd e, nid bachgen – yn rhoi hufen iâ a Flake am ddim i'w merch? Doedd e ddim eisiau arian, mae'n debyg... Beth arall oedd e eisiau, 'te? Dim byd? Ai dyna oedd hi i fod i gredu? Ei fod e'n ddigon hapus ei fyd i roi hufen iâ – a Flake – i Cari heb ddisgwyl dim byd yn ôl? Teimlai Elen ei chalon yn rasio, fel y byddai pan fyddai hi'n rhedeg i fyny rhiw serth. Roedd hi'n casáu ei hun am feddwl fel hyn. Ond dyna sut roedd hi wedi cael ei dwyn i fyny – i beidio â derbyn losin wrth bobol ddieithr, wrth *ddynion* dieithr. Cenhedlaeth wedi cael ei magu i fyw mewn ofn. Ond doedd pob dyn ddim yn anghenfil. Roedd ei Gwyn hi yn un mwyn, cariadus. Cariad. Hwnnw eto. Dyn yn meithrin teimladau am ei merch. Roedd hi'n casáu ei hun. Am ddadlau gyda Cari am ddarn o siocled. Ond... Ai Elen oedd yn gorfeddwl, neu oedd e'n swnio'n awgrymog? 'T'isie nibl ar fy Flake?' Ych. I beth oedd hi'n clymu ei hun yn glymau?

'Odi Tom Jones a Shirley Bassey wedi bihafio?' Aeth Cari ar hynt arall.

Cofiodd Elen am y cwningod ac fe leddfodd hynny ychydig ar ei hwyliau. Roedd ei hymateb i'r cwningod wedi ei synnu hi. Roedd hi wedi dod i'w hoffi nhw. Ar ôl blynyddoedd o ymgyrchu yn erbyn eu derbyn yn aelodau o'r teulu. Roedd rhywbeth ymlaciol am eu presenoldeb, eu sŵn wrth iddyn nhw sugno ar y botel ddŵr, eu miri wrth iddyn nhw gwrso ei gilydd o gwmpas, eu blew meddal yn esmwyth o dan ei llaw.

Ond bihafio? Roedd Tom wedi cael pwl o ddireidi heddiw. Babis oedden nhw. A brawd a chwaer ar ben hynny! Ond doedd hynny ddim wedi stopio Tom, nag oedd? Un funud roedd Elen yn teipio a'r funud nesaf roedd hi wedi troi ei phen yn ddifeddwl, syllu allan trwy'r drysau gwydr ac yn dyst i eithaf sioe. O, oedd! Tom Jones ar ben Shirley Bassey a Tom yn symud ei ben ôl am y gorau. *'Sex bomb!'* Chwarddodd Elen mewn sioc pan welodd y perfformans. Roedd wedi tynnu ei meddwl oddi ar gywiro ymgais Ros – neu Rose Ann i roi iddi ei henw llawn – i gyflwyno cofnodion gloyw i Gavin. Bwni digywilydd! Roedd hi wedi galw ar Tom a churo ei dwylo, ond doedd hynny ddim wedi atal y cythrel bach rhag rhoi cynnig arall arni nes mlaen. Ildiodd Elen a cheisio anwybyddu'r weithred oedd yn digwydd yn ei gardd hi. Allai Elen ddweud na gwneud dim yn erbyn greddf y gwningen.

Ffoniodd y milfeddyg yn syth i gadarnhau yr hyn a ddywedwyd wrthyn nhw yn y ffarm gwningod, na fyddai angen eu sbaddu nes eu bod yn chwe mis oed. Wedi cael cadarnhad, nododd y dyddiad priodol ar ei ffôn rhag iddi anghofio. Roedd dwy gwningen yn hen ddigon. A ddylai ddweud wrth Cari? Ceisio esbonio?

'Beth ma Tom yn neud i Shirley?'

'Tom! Stop! Bwni drwg!' Sylwodd Elen fod Tom wrthi eto.

'Stop, Tom!' adleisiodd Cari, ei llais yn fwy garw na'i mam. 'Stopwch ymladd!'

'Dim ymladd ma'n nhw,' meddai Elen, er na allai fod yn siŵr ei bod yn dweud y gwir, bod Shirley wedi rhoi ei chaniatâd i Tom Jones.

'Beth, te?' gofynnodd Cari.

'Greddf cwningod. Ma Tom isie ca'l babis gyda Shirley ac er mwyn neud hynny ma fe'n –'

Torrodd Cari ar ei thraws. 'Odyn ni'n mynd i ga'l babi bwnis?'

'Nag y'n.'

'Plis?'

'Na.'

Mam Elen oedd wedi ei pherswadio hi i gael y fflipin cwningod.

'Falle neith e les iddi. Rhoi bach o gyfrifoldeb i'r groten.'

Darllenodd Elen rhwng y llinellau. Roedd hi'n gwneud gormod dros Cari.

'Sai'n bwriadu carthu'r cwt cwningod 'na!'

Er iddi ymateb yn bigog, roedd hi'n cytuno gyda'i mam yn dawel bach. Efallai y byddai gofalu am greadur yn annog Cari i aeddfedu. Cafodd ei mam ei magu ar ffarm, ac er iddi briodi cyfrifydd a symud o glos y ffarm i dŷ yn y dref roedd hi'n dal i fesur gwerth bywyd yn ôl yr anifeiliaid a fu ac a oedd yn rhan ohono, yn rhan ohoni hi. Gwerthwyd y ffarm deuluol i Saeson pan fu farw Gu a Dacs ac roedd yr hen barlwr godro bellach yn llety i ymwelwyr. Ond roedd ei mam yn dal i sôn am yr hanesion ac yn dysgu gwersi ar gyfer heddiw yn ôl yr hyn oedd wedi digwydd ddoe.

'Fydd Cari wrth ei bodd, ti'mod.' Rhoddodd ei mam ei braich amdani a rhoi gwasgad fach i Elen. Doedd magad fel hwn ddim yn dod yn naturiol i'w mam ac fe deimlai Elen ychydig yn anghyfforddus. Atebodd yn anfwriadol o biwis.

'Bydd, am yr wthnos gynta. A beth ambytu wedyn? Beth wna i pan fydd hi wedi blino arnyn nhw?'

'Wel, ma 'da fi rysáit ffein iawn am gaserol cwningen.'

Ochneidiodd Elen mewn ffug sioc.

'Mam! Sai erio'd 'di byta cwningen!'

'Nag wyt ti? Ti'n siŵr o hynny?'

Edrychodd Elen ar ei mam yn syn. Agorodd ei mam ei llygaid yn fawr, ei haeliau yn codi yn ddigon uchel i greu crychau ar dalcen oedd yn rhyfeddol o lyfn.

'Ti'n cofio'r gwningen fach lwyd yna ddalodd Dat mewn trap?'

'Wedodd Dat bod e 'di gollwng hi'n rhydd!' atebodd Elen yn glep.

'Do, greda i... Un fel'na o'dd e. Geson ni fywyd hapus 'da'n gilydd, fi a Dat. Ond ddealles i erio'd ei reddf i guddio'r gwir rhagddot ti'n un fach.'

Ond deallai Elen yn iawn. Roedd rhan ohoni yn falch bod gan Cari gwmpeini, yn enwedig ar ôl beth ddigwyddodd yn yr ysgol ychydig ddiwrnodau yn ôl. Roedd Cari yn ei dagrau, Hanna wedi troi ei chefn arni yn annisgwyl. Ac fe deimlodd Elen y peth i'r byw. Ro'n nhw wedi bod yn ffrindiau bach da, Cari a Hanna. Na, doedden nhw ddim yr adar o'r unlliw bondigrybwyll. Roedd Hanna yn fwy mewnblyg, yn gallu bod yn ddigon cwrtais a siaradus gydag oedolion, ond yn oriog iawn hefyd. Roedd yna ddyddiau pan na fyddai hi'n bresennol yn yr ysgol a rhai eraill pan fyddai hi yno o ran corff ond ymhell yn feddyliol. I'r gwrthwyneb, fe allai Cari fod yn uchel iawn ei chloch, yn siaradus tu hwnt, ond byddai pwnc y sgwrs yn troi yn yr unfan, yn enwedig petai hi wedi cynhyrfu, petai rhywbeth yn chwarae ar ei meddwl.

Roedd yn un fach iach ac anaml y byddai'n absennol o'r ysgol.

'Fydd rhaid i ni neud rhestr, yn bydd, Mam – o beth sy isie ar y cwningod. Yn bydd, Mam... Mam, yn bydd?'

'Bydd, Cari.' Teimlodd Elen ei chalon yn suddo fel yr haul wrth feddwl am lunio'r rhestr, sillafu'r geiriau fesul llythyren.

'Rhif un ar y rhestr, caets: C... a... e... t... T dim D... T... Cari, t... t, t, t, t... Dileu'r "d"... Dyna ti... Da iawn... Sdim isie dileu'r "e"!'

Oedd e'n wir bod yn rhaid i bobol ddweud pethau'n blaen wrth Cari, dweud y gwir yn gadarn, yn galed, am nad oedd hi'n gallu gwneud beth oedd y gweddill ohonon ni'n ei wneud, sef darllen rhwng y llinellau? Ai dyna oedd Hanna wedi bod yn ei wneud? Ceisio ei gorau i gyfathrebu, a blino yn y diwedd ar y diffyg ffyniant?

Doedd e ddim yn deimlad da i gyfaddef hynny, ond roedd ffrindiau ei merch yn brin. Fe allai Cari wneud ffrindiau. Fe allai dwyllo pobol eraill am ryw hyd. Ond unwaith i'r gwir ddod i'r amlwg, i Cari ddatgelu gormod amdani ei hun, fe fyddai pethau'n newid. Byddai plant yn sylwi, yn sylwi ei bod hi ddim yr un peth â nhw. Yna fe fydden nhw'n symud ymlaen ac yn gadael Cari, ei thraed hithau yn dal i droi yn y tywod. Marciau'r ymdrech i greu cyfeillgarwch i'w gweld yn glir heddiw ac yna'n diflannu ar ôl i'r llanw droi.

CARI

Welodd hi Jo heddi. O'dd e'n sili iawn heddi. Daflodd e dywel gwlyb ati. Daflodd hi'r tywel 'nôl ato fe.

'O fla'n y cwsmeried?' gofynnodd Mam.

'Nage. Yn y stafell gefn.'

Ha, ha, ha, ha, ha. O'dd pawb yn chwerthin... Nadine, Ella, Pat... O'dd Ella'n teimlo'n well. O'dd Pat yn dal bowlen o sglods. Dechreuodd Bow gyfarth. Achos y sglods. Shwsh, Bow!

Gofynnodd Jo, 'Ti isie hufen iâ heddi?'

'Odw,' atebodd hi.

'Wel, so ti'n ca'l un,' medde fe.

'Ti o ddifri?' gofynnodd hi. 'Ti o ddifri...? Ma Jo o ddifri!... Wyt ti, Jo?'

Do'dd Cari ddim wedi byta dim byd ers brecwast. Dau Weetabix. I blesio Mam. A siwgr. Ddim yn plesio Mam. O'dd Mam yn gweud bo' Cari'n byta gormod o siwgr. Ma'n iawn, Mam. O'dd Cari isie hufen iâ. Wnaeth hi'r peth yna o'dd hi'n neud i Mam a Dad os o'dd hi isie rhwbeth. Neud llyged llo bach a gwthio ei gwefus waelod mas. Rhaid ei bod hi'n edrych yn ddoniol achos dechreuodd Jo chwerthin.

'Ocê,' medde fe. 'Hufen iâ bacwn a lemwn?'

O'dd e'n tynnu ei cho's hi nawr. Yn bendant.

'Na!' chwarddodd Cari.

'Cyrri a gwsberis?'

'Fanila!' gwaeddodd.

Fanila o'dd ei ffefryn hi. O'dd Mam yn gweud ei bod hi'n byta gormod o fwyd fanila. Do'dd hi ddim. Do'dd hi ddim yn hoffi sbeis, 'na i gyd. O'dd e'n blasu'n od iddi hi. Do'dd hi ddim yn byta bwyd sbeisi. Dim ots. Ma'n iawn, Mam.

'Ti isie fanila? Fe gei di fanila,' medde Jo. O'dd e'n gwenu arni. Wyneb hapus. Gwenodd hi'n ôl, yn hapus.

Yna, clywodd y gorch-mym-yn – nage, gorch-ym-yn, 'Dere 'da fi, 'te.'

Aeth Cari gydag e at yr hufen iâ. O'dd y cownter hufen iâ ar ochr y caffi. Do'dd dim rhaid mynd mewn i'r caffi i ga'l hufen iâ. O'dd pobol yn sefyll tu fas i giwio, rhes hir o bobol yn yr haf, fel yr olygfa o'r tai ar y prom o Consti. Weithie, o'dd Jo yn sefyll yno trw'r pnawn achos o'dd cyment o bobol isie hufen iâ. Do'dd e ddim yn meindio. Do'dd neb yno heddi, dim ond fe a hi. Rhoddodd e'r côn yn y daliwr gyda'i law chwith. O'dd Cari'n hoffi gweld hynny. O'dd e 'run peth â hi. Yn dewis ei law chwith.

'Ma well 'da fi ddefnyddio fy llaw chwith,' medde Jo wrth ei gweld hi'n syllu.

'A fi,' medde Cari.

'Snap,' medde fe. A chodi ei law chwith a chynnig pawen lawen.

O'dd Jo yn dal i siarad.

'Sai'n gweud, ma fe'n bo'n yn y tin weithie. Popeth yn y byd wedi ca'l ei neud ar gyfer pobol llaw dde. Ond, hei: herie, rhwystre – ma'n nhw'n neud ni'n gryfach, on'd y'n nhw?'

O'dd e'n neud hi, Cari, yn wahanol. Weithie, o'dd hi'n lico bod yn wahanol. Ond weithie ro'dd hi'n ysu i fod yr un peth. O'dd pobol yn sylwi arnoch chi os o'ch chi'n wahanol, yn edrych, yn edrych arni hi. O'dd hi isie cuddio weithie.

O'dd y sgŵp yn llaw chwith Jo nawr ac o'dd e'n ei ddal fel hofrenydd uwchben yr hufen iâ, yn bygwth mynd i mewn at y blase ych a fi tra'i bod hi'n chwerthin. O'dd Jo yn mwynhau pryfoco.

'Ti'n pryfoco fi!' Gwaeddodd y geirie cyn iddi gofio am ddefnyddio 'llais bach'.

Estynnodd Jo lond llwy hael o hufen iâ fanila iddi hi. Yna fe oedodd. Edrychodd ar Cari, fel tase fe'n meddwl yn ddwfn.

'Digon? Neu ti isie mwy?'

'Digon!' chwarddodd.

Cynigiodd yr hufen iâ iddi. Oedodd Cari cyn cymryd y côn oddi wrtho. Edrychon nhw ar ei gilydd. O'dd e'n teimlo'n rhyfedd i edrych i'w lygaid gloyw.

'Flake?' gofynnodd Jo.

Meddyliodd Cari am Mam a Dad. Am beth fydden nhw'n weud. Ond o'dd hi'n teimlo'n hapus. Do'dd hi ddim yn hapus yn yr ysgol heddi. A do'dd Mam a Dad ddim yma.

'Ie,' cytunodd Cari.

O'dd hi'n un deg whech. Do'dd dim rhaid gweud popeth wrth bawb.

ELEN

Hufen iâ oedd y peth diwethaf roedd hi eisiau mewn gwirionedd. Roedd Elen wedi rhedeg lan y rhiw ac yn bwriadu rhedeg yn ôl i lawr ac i fyny eto i orffen ymdrech 5K. Doedd dim llawer o amser ganddi ar gyfer ymarfer corff heddiw. Doedd hi ddim eisiau atal ei chamau – dychmygodd sut fyddai hynny'n edrych ar Strava – a doedd hi ddim wedi gwneud digon i gyfiawnhau siot fawr o siwgr. Ond roedd e'n sefyll ar ei ben ei hun yn y ciosg, ar ddiwrnod mwll, yn cynnig ei ben ar blât. Arafodd Elen ei chamau a dechrau cerdded tuag ato. Gobeithiai y byddai curiadau ei chalon wedi sefydlogi erbyn iddi ei gyrraedd ac na fyddai hi'n anadlu'n galed fel person o'i cho'.

Roedd e'n dalach nag oedd Elen yn ei ddisgwyl. Ond beth oedd hi'n disgwyl ei weld? Crwt ysgol? Arddegwr oedd wrthi'n aeddfedu, mae'n siŵr. Wyneb bachgennaidd a fflach o agwedd oedd yn dod yn sgil y llais yn torri, y corff yn tyfu'n glou. Ond, na, dyn oedd hwn. Dyn ifanc, ie, ond dyn. Roedd ganddo ysgwyddau breision ac un fraich gyhyrog, ond roedd gweddill ei gorff yn fain a safai ar ddwy goes hir, denau. Roedd rhywbeth tywyll uwchben ei wefus, ymgais i dyfu mwstás, efallai? Oedd rheini'n ffasiynol? Doedd Elen ddim yn meddwl bod rhyw firi di-nod fel ffasiwn yn poeni hwn, yn ei jîns a'i grys T blêr. Roedd ei lygaid yn fychan ac yn dywyll, ei wallt tonnog du wedi tycio y tu ôl i'w glustiau. Doedd ganddi ddim hawl i'w farnu, ond roedd rhywbeth amdano doedd hi ddim wedi ei hoffi. Beth oedd hwn yn ei weld yn ei merch fach ddiniwed hi?

'Helô, beth gymrwch chi?' gofynnodd yn gyfeillgar, ei lygaid yn loyw. Doedd e ddim yn gwenu arni ond roedd e'n ddigon proffesiynol. Cwsmer arall i weini arni oedd Elen. Doedd e ddim yn ei nabod hi o bobol y byd.

'O's ganddoch chi ddŵr?' gofynnodd Elen gan lygadu'r hufen iâ amryliw.

'Oes, yn y caffi.'

Ond doedd Elen ddim yn barod i fynd. Ildiodd.

'Gymra i hufen iâ fanila, 'te. Un sgŵp. Mewn twb.' Aeth am y dewis gyda'r lleiaf o galorïau.

'Flake?' Doedd dim byd yn awgrymog yn y cynnig.

'Dim diolch.'

Talodd a cherdded oddi yno, ac arni hanner chwant cael gwared ar y melysbeth oedd yn oeri ei bysedd. Roedd e'n ddigon derbyniol, ond doedd Elen ddim wedi cael blas arno. Trodd ei phen a gweld bod Nadine wedi ymuno ag e, y ddau yn sisial siarad, yn osgoi edrych i fyw llygaid ei gilydd, ond yn gwenu. Taflodd Elen y twb i'r bin ac ailddechrau'r ymdrech.

CARI

'Helô… Helô?'

Do'dd Dad ddim yn ateb.

Dad, pam so ti'n ateb?

O'dd Cari'n cerdded adre. O'dd hi moyn gweud wrth Dad ei bod hi'n cerdded adre. Gwasgodd y botwm ar y ffôn. 'Nôl â hi at y rhife. Y rhife ar y sgrin. Gwasgodd rif arall. Dim hwnna o'dd hi 'di meddwl gwasgu. Dim ots. Canodd y ffôn. Aeth dau fachgen heibio. Yn agos iddi. Fuon nhw bron â tharo ei bag hi. Daliodd Cari ati i gerdded. Stopiodd y canu.

'Hai,' medde Cari.

'Helô, bach, sut wyt ti?'

O'dd Mam adre. O'dd Mam yn ateb y ffôn.

'Fi'n treial neud FaceTime 'da Dad – dyw e ddim yn ateb.' Siaradai Cari yn glou. O'dd ei bag ysgol hi'n drwm.

★

'Ma'r bag yna'n edrych yn drwm, Cari,' medde Mam bore 'ma, pan o'dd hi'n amser mynd i'r ysgol.

'O's angen yr holl boteli dŵr yna, Cari? Ti fel 'sat ti yn y fyddin.'

'Dad!'

'Yn trênio ar y Mynyddoedd Duon.'

'Gad hi fod, Gwyn.'

'Iess, syr!'

★

'Ti'n ocê?' gofynnodd Mam ar y ffôn.

'Odw.'

'Ti moyn lifft?'

'Na.'

O'dd hi wedi mynd heibio'r ysgol gynradd. O'dd hi'n arfer mynd i'r ysgol gynradd yna. Do'dd hi ddim yna nawr.

'Shwt o'dd ysgol?' gofynnodd Mam.

'Iawn.'

'Shwt o'dd chwaraeon?' Gofynnodd Mam gwestiwn arall.

'Iawn.'

Fe allai Cari weld y parc. O'dd hi'n arfer mynd i'r parc... i lawr y llithren... 'nôl a mla'n ar y siglen... Eto, eto... Fydde hi'n lico mynd ar y siglen o hyd. Ond o'dd hi'n rhy hen nawr, medden nhw.

'Ti moyn lifft o Lidl?'

'Na.'

'Na?' gofynnodd Mam.

'Fi'n cerdded adre.'

Fydde Cari'n stopo yn Lidl. Prynu myffin. Dim myffin siocled. (Fydde ei dannedd hi'n frown i gyd!) O'dd arian 'da hi yn ei llaw.

'Ti moyn lifft o waelod y teras, 'te?'

'Na. Fi'n mynd i ga'l y trên.'

'Trên Consti?'

'Ie.'

'Pam?'

'Fi jyst isie.'

'Ocê. Paid â bod yn hir.'

'Ocê. Ta-ta.'

O'dd Cari'n hoffi mynd ar y trên i fyny'r clogwyn. O'dd hi fel gwylan yn codi yn yr awyr, yn gweld y dre yn mynd yn fach, y môr yn ddychrynllyd o fawr. O'dd caffi Consti yn dal ar agor amser hyn. Fydden nhw yna – Nadine, Ella, Ceri, Sasha, Pat... a Jo. O'dd Jo wedi prynu trît i'r cwningod, ffyn hir o'dd yn blasu fel moron. O'dd y cwningod fod i gnoi'r ffyn yn lle eu bod nhw'n cnoi'r cwt. Do'n nhw ddim i fod i gnoi'r cwt. Bwnis drwg. O'dd hi'n caru Tom a Shirley, y cwningod. O'dd Jo yn caru cwningod hefyd. Edrychodd Cari ar sgrin y ffôn. Dim neges. Crymodd ei hysgwydde a rhoi ei ffôn yn ei phoced.

ELEN

'Gest ti rwbeth i fyta?' holodd Elen ei merch ar ôl iddi ddychwelyd o'i wâc arferol gyda Bow.

'Na.'

Roedd Elen wedi dechrau paratoi *bolognese* ac roedd hi wrthi'n torri winwnsyn yn fân wrth i'r briwgig ffrwtian a brownio. Ar ôl tynnu harnes Bow a chynnig trît iddo roedd Cari wedi ymuno â'i mam tra bo'r sbaniel blinedig yn dod ato'i hun. Eisteddodd Cari ar y gadair uchel wrth ymyl yr ynys a hynny rhwng Elen a'r oergell. Pupur coch! Doedd Elen ddim wedi estyn y pupur coch o'r ffrij! Ochneidiodd a gwenu iddi ei hun wrth feddwl am orfod gorchfygu rhwystr arall eto fyth – ei merch – wrth geisio gwneud swper. Oedodd Elen cyn torri. Ar y bwrdd roedd caead y gliniadur ar agor o hyd, yn llawn addewidion.

'Dim hufen iâ heddi?'

'Do.'

'Felly gest ti hufen iâ?'

'Do!'

Yr wybodaeth yn dod, un gronyn o dywod ar y tro.

'Am ddim, sbo.'

'Fi'n gweitho 'na.'

Chwarddodd Cari mas yn uchel, yn amlwg wrth ei bodd. Simsanodd hi ar yr un pryd a hanner cwympo oddi ar y gadair. Dychmygodd Elen Jo yn cydio yn ei llaw i'w sadio hi. Teimlodd Elen ergyd yn ei bol.

'Fyddi di ddim yn ca'l gweithio yna os ti'n niwsans,' brathodd yn bigog fel crafangau cranc. Gwelodd yr olwg ar yr wyneb annwyl yn newid, y gragen yn cau.

CARI

'Ti'n edrych yn neis,' medde Jo.

'Beth?'

'Dwi'n lico top ti.'

'Dim top yw e. Hwdi,' atebodd Cari. Siglodd ei phen. O'dd Jo yn sili.

'Hwdi, 'te.'

'Ma fe'n newydd.'

'O'n i'n meddwl bo' fi heb weld e o'r bla'n.'

'Ges i fe yn y Steddfod. Brynes i fe gyda arian 'yn hunan.'

'"Ffrindiau",' darllenodd e'r gair ar yr hwdi. 'Siwto ti.'

'Odi.'

★

O'dd Cari'n lico'r hwdi gynted welodd hi fe. O'dd arian gyda hi. O'dd hi'n mynd i brynu fe. Edrychodd ar y pentwr. Bois bach! Pentwr hiwj o hwdis! Glas o'dd hi isie. Glas gole fel awyr y bore yn y Steddfod. Do'dd dim awyr las yn y Steddfod bob dydd, medde Dad. O'dd angen dod o hyd i'w seis hi. Bach. Beth os do'dd dim maint 'bach' i ga'l? O'dd Cari wedi estyn ei phwrs o'r bag. O'dd hi'n dal y pwrs yn ei llaw chwith. O'dd rhaid twrio gyda'i llaw dde. O, na! Ei llaw chwith o'dd y ffefryn, dim ei llaw dde. O'dd pobol erill ar y stondin. Mam a babi bach mewn bygi mawr. Merch o'dd ddim yn yr un ysgol â hi. Do'dd dim lot o le. O'n nhw'n chwilo am hwdis hefyd. Do'dd dim 'bach'!

'Arafa dy game, Cari.'

'Fi *yn*, Mam!'

'Hwdi glas bach! Yes Cymru!' medde Cari'n uchel.

'Paid slipo, pwrs,' medde hi'n dawel.

Aeth Cari i dalu. 'Na beth o'dd ffys a ffwdan! Dal yr hwdi newydd ac estyn y papure. Popeth yr un pryd. '17' o'dd ar y tocyn. Faint o arian o'dd angen felly?

'Hwdi, ife?' gofynnodd y fenyw iddi. O'dd ganddi gyrls du a brychni.

Nodiodd Cari ei phen.

'Dewch i ni weld... Un deg saith punt... Arian neu gerdyn?'

'Arian,' atebodd Cari. O'dd yr arian yn saff yn ei llaw hi. O'dd Cari'n ei ddal yn dynn, dynn.

'Popeth yn iawn.'

Edrychodd y fenyw ar Cari. Cynigiodd Cari ei dwrn, y papure yn pipo mas. Sifflai ei thraed, yn barod i redeg o 'na.

''Na fe, y papur glas 'na yn iawn,' medde'r wraig â graean y traeth ar ei boch.

Symudodd Cari ei dwrn yn agosach eto a helpodd y ddynes ei hun i'r pres.

'Diolch yn fawr,' medde hi wrth Cari.

Do'dd hi ddim yn oer ar y Maes. Ond o'dd Cari'n mynd i wisgo'r hwdi'n syth. Symudodd tuag at ymyl y stondin yn benderfynol.

'Sgusodwch fi!'

Llais y ddynes. Trodd Cari tuag ati. O'dd pobol erill yn edrych.

'Eich newid chi.'

Edrychodd Cari ar y llaw agored. Un, dwy, tair punt. Bachodd Cari'r punno'dd. Yn ei ras i fynd o 'na, o'dd hi wedi anghofio aros am ei newid.

'Diolch,' medde hi wrth y bobol erill ar y Maes. Do'dd hi ddim yn meddwl bod y brychni wedi ei chlywed hi.

★

'Cari…?'

O'dd Jo yn gofyn cwestiwn. O'dd e? Do'dd Cari ddim yn siŵr.

'Ie. Cari,' atebodd hi.

O'dd e'n edrych arni, yna'n edrych i lawr, yna'n edrych arni hi eto.

'Siwto ti, yr hwdi. Dangos dy siâp di.' Edrychodd Jo arni. Yna edrych i lawr eto'n syth.

Chwarddodd Cari. O'dd Jo yn hoffi ei chwerthiniad hi. O'dd Cari wastad yn hapus, medde Jo. O'dd hynny'n ei neud e'n hapus. O'dd e 'di gweud hynny hefyd.

'Pam?' gofynnodd Cari.

Do'dd Jo ddim wedi ateb, ond yna o'dd e wedi dechre siarad. Do'dd hi ddim yn ei drin e'n wahanol, medde Jo, ddim yn gofyn iddo a o'dd e isie help am fod llwytho hufen iâ gydag un llaw yn drafferthus yn eu meddylie nhw. O'dd e wedi dod i drefn. Yn gallu defnyddio'r llaw arall hefyd, y llaw dde. O'dd braich dde Jo yn fyrrach na'i fraich chwith a'i law dde ble o'dd penelin Cari. O'dd e'n dal ei law dde'n wahanol i'r ffordd o'dd Cari'n dal ei dwylo hi. Do'dd dim yr un ddawns i'w fysedd e, er ei fod yn gallu eu symud nhw.

'Diffrwyth' o'dd gair Mam am law dde Jo. Gair od. Do'dd llaw Jo ddim byd i neud â ffrwythe. Ond o'dd Mam wedi mynnu bod Cari yn gweud y gair sawl gwaith, er mwyn ei gofio'n iawn. O'dd gan Cari gof da. O'dd ei chof hi'n well na'i dwylo hi, meddyliodd Cari. Weithie, do'dd ei bysedd hi ddim yn dawnsio. Do'n nhw ddim yn neud beth o'dd hi moyn iddyn nhw neud. Fydde hi'n ffaelu agor y botel Ribena. Fydde hi'n gollwng ei ffôn ar lawr. Fydde'r lla'th yn byrlymu mas o'r botel ac yn arllwys dros ymyl y cwpan.

'Arafa,' medde Dad.

'Stop!' gwaeddodd Cari.

'Paid bod yn ddig'wilydd!' cododd Dad ei lais.

'Gad fi fod!' medde hi.

Dim plentyn o'dd hi!

'Ti'n lico mynd i'r sinema?... Cari?'

O'dd Jo yn edrych i lawr eto.

'Odw,' medde Cari wrth Jo.

Do'dd Cari ddim yn lico mynd i'r sinema. Wel, *ish*. O'dd Mam yn arfer mynd â hi pan o'dd hi'n fach. Fydde hi'n stwffo ei hunan gyda phopcorn – Cari, ddim Mam. Yna, fydde hi'n afon lonydd. Nage, dim llonydd! Afon aflonydd. Ar gôl Mam, oddi ar gôl Mam, ar gôl Mam, oddi arni ac yn y bla'n. Yna, yn y sinema dywyll, glyd, fydde Cari'n cwmpo i gysgu a Mam yn goffod ei dihuno hi pan fydde'r ffilm wedi bennu. O'dd Mam yn lico gweud y stori hon ac o'dd Cari'n lico ei chlywed hi.

'Ma 'na ffilm am gi,' medde Jo.

'Ci?'

'Alsatian. Ti'n gwbod beth yw alsatian?' gofynnodd Jo.

'Na.'

'Ci mawr blewog gyda thrwyn hir. Mae e'n mynd ar wylie gyda'i berchennog.'

'Ma Bow yn mynd ar wylie gyda ni – on'd wyt ti, Bow? Fuon ni ar dra'th Llanddwyn yn yr haf, on'd do? Ond fues i ddim i'r ynys gyda ti, do fe? Bow? Bow? Gwboi, Bow.' Mwythodd Cari Bow. Estynnodd y sbaniel ei goese bla'n er mwyn i Cari allu cosi ei fol.

'Cari… Cari…?'

Edrychodd Cari ar Jo.

'Ti'n hoffi cŵn, on'd wyt ti?' gofynnodd e.

'Odw. Fi'n lico Bow, on'd odw i, Bow?'

'Licet ti fynd i weld y ffilm… gyda fi? Ti a fi. 'Run peth â dy hwdi di – ffrindie.' O'dd llais Jo yn dawel nawr.

'Ie,' atebodd hi, gan gosi bol Bow.

'Grêt. Wna i anfon neges i ti gydag amser y ffilm. Fydde hi'n iawn i anfon tecst, gyda'r amser?'

'Ie, iawn… Ti'n lico hwnna, on'd wyt ti, Bow?'

'Fydd rhaid i fi ga'l dy rif mobeil di, 'te… Cari… Beth yw rhif mobeil ti?'

O'dd Cari'n gwbod ei rhif. O'dd ganddi gof da. O'dd pawb yn gweud hynny. Adroddodd y rhif yn uchel, yn falch o allu dangos ei hun i Jo.

ELEN

'Cari, cariad, gwranda... y bachgen 'ma.'

'Mam.'

'Dwi ddim yn busnesu.'

'Mam!'

Roedd Elen wrthi'n gwneud swper. Saws *bolognese* ddoe yn cael ei droi'n tsili heddiw ac un fowlen heb sbeis i siwtio synnwyr blasu ei merch. Bachodd Cari y llyfr posau a pharhau gyda'r chwilair roedd hi wedi ei ddechrau amser brecwast. Gwyliodd Elen hi am ennyd, yn tynnu'r top oddi ar y pen lliw pinc ac yn creu llinell grynedig ar hyd y llythrennau, yn ofalus. Rhoddai'r top yn syth yn ôl ar y pen. Meddyliodd Elen. Roedd rhaid dod o hyd i ffordd arall wrth ymdrin â Cari.

'Ma Jo yn fachgen neis,' meddai, yn camu'n betrus.

Crymodd Cari ei hysgwyddau, yn tasgu geiriau ei mam i ffwrdd.

'Chi'n ffrindie?' gofynnodd Elen.

'Ni'n ffrindie.'

Edrychodd Elen ar ei merch, yr wyneb yn dangos dim. Rhoddodd broc i'r briwgig. Triodd hi eto.

'Dwi'n falch bo' chi'n ffrindie.'

Syllai Cari ar y pos geiriau. Roedd hi wedi dod o hyd i bedwar gair, wedi rhoi llinell binc ansicr ar eu hyd.

'Odych chi'n fwy na ffrindie?... Cari...? Edrycha ar Mam, Cari.'

'Sai'n gwbod.'

'Wyt ti'n gwbod beth ma hynny'n feddwl? I fod yn *fwy* na ffrindie?'

Daliai Cari i syllu ar lythrennau'r pos. Ond doedd dim llinell binc arall, sylwodd Elen. Dangosai hynny fod ei merch yn gwrando arni. Fe fyddai canolbwyntio ar ddau beth yr un pryd yn ormod o her.

'Ti'n hoffi fe? Wyt ti'n hoffi Jo?'

'Odw.'

'Odi e'n dy hoffi di?'

'Ma fe moyn mynd i'r sinema.'

Roedd hynny yn syrpréis.

'Gyda ti?' Aeth gofyn y cwestiwn â'r holl anadl o'i brest.

'Ie. Ga i fynd i'r sinema?'

Rhoddodd Elen y gorau i geisio agor y tun ffa coch. Edrychodd ar ei bysedd gwanllyd a sylwi eu bod yn crynu.

'O'n i'n meddwl bod ti ddim yn hoffi mynd i'r sinema.'

Dyna beth oedd Cari wedi'i ddweud un prynhawn glawog pan oedd Elen wedi cynnig mynd â hi.

'Ma Jo yn mynd i brynu popcorn i fi.'

Fe fyddai Elen wedi prynu popcorn i Cari hefyd. Ceisiodd ei gorau i beidio â gadael i'r atgof, am gael ei gwrthod, ei phigo hi. Ailgydiodd yn y ffa a cheisio rhoi ei bysedd o dan yr allwedd fetel er mwyn agor y tun.

'Beth yw'r ffilm?'

'Sdim ots, Mam.'

'Wel, o's, ma ots. Dyw pob ffilm ddim yn... ddim yn addas.'

'Ma'r ffilm 'ma'n iawn.'

'Da iawn. Beth yw ei henw hi, 'te?'

'Sai'n gwbod.'

Ceisiodd Elen atal ei hun rhag dechrau pregethu, ond fe allai deimlo ei bod yn colli rheolaeth ar y sefyllfa, ar ei theimladau.

'Ga i fynd, Mam?'

'Y peth yw... sai'n nabod Jo... Falle tasen i'n cwrdd â fe'n iawn, ca'l sgwrs fach...'

'Ma ci yn mynd ar ei wylie, 'run peth â fi a Bow,' tasgodd Cari.

'Beth?' Trawodd y tun yn erbyn y cownter â chlec. Roedd pen Elen yn troi.

'Ffilm am gi ar wylie. Ga i fynd i'r sinema.' Roedd Cari'n dweud yn lle gofyn y tro yma.

'Gawn ni weld,' atebodd Elen a throi ei chefn i estyn yr agorwr tuniau. Twriodd amdano yn y drôr.

Clywodd sgrech coes y gadair yn erbyn y llawr teils. Y clindarddach cyfarwydd.

'Ble ti'n mynd?' gofynnodd Elen i gefn yr hwdi.

'Lan stâr,' galwodd Cari heb edrych yn ôl.

Cafodd Elen gip olaf ar gwcwll yr hwdi. Am ysbaid fe welodd ysbryd – bwgan yn rhythu arni'n ddig.

*

'Na,' meddai Gwyn.

'Alli di ddim dweud "na". Mae hi'n un deg chwech.'

'Ar bapur.'

Llygadodd ei gŵr hi. Ildiodd Elen i'r edrychiad. Ro'n nhw'n gwybod yn iawn, y ddau ohonyn nhw, nad oedd Cari mor aeddfed yn feddyliol â rhai plant eraill yr un oed.

'Ma ganddi hawl i fywyd cymdeithasol.'

Rhoddodd Elen y llwy bren wedi ei llyfu gan tsili i lawr ar y soser rhag trochi'r cownter. Cododd Gwyn y llwy a thrio ychydig o'r saws gyda blaen ei dafod. Cododd ei aeliau.

'Mwy o halen.'

Roedd e wedi bwyta'r *bolognese* yn ddirwgnach. Nawr, plymiodd ei fysedd yn y jar Halen Môn, gan anwybyddu'r llwy bwrpasol. Halltodd y saws a'i droi yn egnïol.

Busnesu oedd hyn, meddyliodd Elen. Roedd hi'n mwynhau'r weithred ymlaciol o baratoi pryd ar ôl stres diwrnod o waith. Doedd hi ddim angen prif gogydd uwch ei phen.

'Pwy ydy o?' gofynnodd Gwyn.

'Beth ti isie gwbod – pwy yw ei fam a'i dad?' atebodd Elen yn bigog. 'Beth yw eu gwaith nhw? O's ganddo fe arian?… Mynd i'r sinema ma hi, dim trafod priodas…'

'Be ydy ei oedran o? Ydy o yn yr ysgol?'

Triodd Gwyn fymryn o saws, amneidio â'i ben yn fodlon a rhoi'r llwy i lawr ar y cownter yn hytrach nag ar y soser.

'Sai'n credu 'ny.'

'Ond ti ddim yn siŵr.'

'Na.'

'Mae e wedi gadel yr ysgol, 'weden i,' meddai Elen.

'Ti'n nabod o, wyt ti?'

'Fi wedi'i weld e, do, pan o'n i'n rhedeg.' Dywedodd Elen hyn yn ofalus, yn ymwybodol ei bod wedi cadw'r wybodaeth iddi hi ei hun.

Estynnodd Gwyn y reis o'r cwpwrdd a'i arllwys i'r sosban heb dafoli. Fe ddylai fesur cwpanaid o reis a dau lond cwpan o ddŵr berw, meddyliodd Elen wrth ei wylio'n rhoi'r sosban – a'r reis – o dan y tap dŵr berw.

'Callia wir, Elen,' meddai Gwyn, gan roi caead ar ben

y reis. "Dan ni ddim yn ei nabod o, nachdan. Wedyn, dydy o ddim yn mynd â 'merch i i'r sinema.'

'Fydd hi'n eitha saff yna, Gwyn. Dyw e ddim fel 'sen nhw'n mynd ar crôl rownd dre.'

'Fydd hi'n dywyll yna.'

Trodd bol Elen wrth ystyried y geiriau hynny. Teimlai'n sâl yn sydyn.

Berwodd y dŵr dros ymyl y sosban.

'Blydi hel!' bloeddiodd Gwyn.

Safai Gwyn yn stond, wedi ei rewi gan y cyffro. Tynnodd Elen y caead ac estyn clwtyn er mwyn sychu'r gwlybaniaeth.

'Fi 'di ca'l syniad,' meddai gan gilwenu. 'Pam na awn ni am ddêt?'

Edrychodd Gwyn arni, ei aeliau'n codi.

'Wel, dim dêt, dêt, 'te… mynd mas, dim ond ni'n dou. Pryd o fwyd yn Baravin neu goctel yn Bañera – ac addo peidio siarad am iw-now-hw.'

'Iawn, os ti isio.'

Synnodd Elen.

'Fe allet ti ddangos *bach* o frwdfrydedd.' Teimlodd bwl o gynddaredd. Efallai fod hynny'n arwydd da, ei fod e'n ei chynhyrfu hi, penderfynodd Elen. O leiaf roedd ganddi deimladau. Fe fyddai'n sobor o fyd petai hi'n teimlo dim.

'Dwi 'di deud "iawn", 'do? Be arall ti isio?' Pwysai

Gwyn yn erbyn y cownter, yn ceisio bachu llaw ei wraig.

'Dyw e ddim yn rhamantus iawn, odi fe? "Iawn"?' Ceisiodd Elen ei ddynwared.

'O'n i'm yn meddwl bo' chi fenywod isio rhamant 'wan.' Roedd e'n gwenu'n ddrygionus, yn tynnu coes.

'Ers pryd?'

'Dwn i'm. Ers sylweddoli bo' ni'n byw mewn "cymdeithas batriarchaidd" – ia?'

'Dim jôc yw hynny, Gwyn.'

Sadiodd Elen. Oedd e'n ormod i ofyn am ronyn o ramant yn ei pherthynas â'i gŵr? Doedd hi ddim yn disgwyl iddo ei sgubo hi oddi ar ei thraed. Fe fyddai hynny'n ddigon i'w gefn! Ond oedd e'n ffôl i ddyheu am ryw gydnabyddiaeth eu bod nhw'n gariadon yn ogystal â pheiriannau oedd yn gofalu am Cari? Roedd rhaid gwneud ychydig o ymdrech cyn i drai a llanw'r tonnau beidio.

'Nos Wener, 'te,' meddai Elen. Doedd hi ddim yn gofyn cwestiwn.

'Iawn,' cytunodd Gwyn.

Rhythodd arno.

'Be?' meddai yntau.

'Ble awn ni?'

'Ti sy isio mynd.'

'Baravin?'

'Bach yn hwyr i ga'l bwrdd yn fan'no 'byn hyn.'

'Indian, 'te.'

'Dwn i'm. Trio colli pwysau,' tap-tapiodd ei fol.

'Medina?'

'Sgynnon nhw gig?'

''Thgwrs bo' gyda nhw gig. Beth sy'n bod 'not ti, Gwyn?'

Syllodd arno.

'Be?'

Roedd e'n gwenu eto, wrth ei fodd ei fod wedi codi gwrychyn.

'Dim byd. Edrych mla'n i ga'l dy gwmni di.'

'A finna chdithau.'

Gwelodd Elen y wên ar ei wefusau, yr un gwefusau oedd yn arfer ei chynhesu fel yr haul yn twymo'r tywod. Meddalodd.

CARI

'Yeah, I'm on my way.'

'Cymraeg plis, Cari.'

Siriysli, Mam.

'Fi ar 'yn ffordd.'

''Na well, Cari. Ma hi'n wych y ffordd ti'n gallu neud hynna, ti'mod. Troi yn syth o'r Saesneg i'r Gymraeg. Cyfieithu ar y pryd. Ma 'da ti eirfa gyfoethog. Da wyt ti!'

'Shhh, Mam!'

'Sori.'

'Gweld ti'n munud, Jo. *Bye*... Ta-ra...'

ELEN

Beth oedd hi'n wneud? Doedd Elen ddim yn siŵr, nawr ei bod hi'n eistedd yno. Cadw llygad ar bethau, sbo, cadw llygad arnyn nhw. Ond doedd hi ddim eisiau eu gwylio nhw chwaith, doedd hynny ddim yn teimlo'n iawn. Beth petai hi'n dal moment ddirgel rhyngddyn nhw, cyffyrddiad cudd? Roedd hi'n ddigon posib na fyddai Elen yn gallu eu gweld o gwbwl, unwaith iddi dywyllu yn yr hen theatr, y llenni yn symud yn ôl yn swnllyd i ddatgelu golau cyfareddol y sgrin fawr. Fe allai pethau ofnadwy ddigwydd mewn sinema heb i bobol eraill sylwi am iddyn nhw gael eu hudo gan y stori. Ac am eu bod nhw'n brin o'r sicrwydd fyddai ei angen i darfu ar bawb er mwyn tynnu sylw at ryw ddrwg tybiedig yn y caws.

Roedd Elen wedi cynnig i Gwyn ddod gyda hi yn gwmni ac er nad oedd e wedi gwrthod bryd hynny, erbyn y noson roedd e wedi newid ei feddwl. Roedd ganddo 'bethau erill i'w gneud'.

'Fel beth?' roedd hi wedi gofyn iddo tra bod ei drwyn ar y sgrin.

Doedd e ddim wedi ei hateb am nad oedd ateb ganddo.

Ond roedd e wedi ochneidio, ochenaid hir, ddramatig a chwbwl ddiangen.

'Be 'di'r ffilm?' gofynnodd.

'*Tommy*,' atebodd hi.

'A phwy ddiawl 'di Tomi?'

'Ci – alsatian – comedi yw e – ffîl gwd. Cofio hynny?'

'Sna'm isio bod fel'na, nag oes. Dwi'm isio dod, sori. Dos di.'

'Wy'n bwriadu.'

Ac roedd hi wedi ei adael i'w bethau ei hun. Roedd Gwyn yn gymaint o gês pan gwrddon nhw, yn un da am dynnu coes. Ond roedd e'n graddol droi yn hen ddyn blin, yn union fel ei dad.

Roedd wedi croesi meddwl Elen i gysylltu â Sophie. Fe fyddai ei ffrind yn fwy na pharod i gadw cwmni iddi, yn enwedig wedi iddi ddeall beth oedd yr antur. Ond doedd Elen ddim eisiau troi yr ymweliad yma â'r sinema yn ddrama fawr. Gwell ganddi gadw'r profiad iddi hi ei hun am y tro. Rhag ofn y byddai rhywbeth yn mynd o'i le a'r hanes yn mynd ar led.

Y deg munud cyntaf oedd y gwaethaf, wrth sefyllian i fynd i mewn i'r hen adeilad ac yna aros i Jo a Cari ddewis eu rhes, a dewis eu seti. Tra eu bod yn oedi yn y cyntedd, roedd Jo wedi cynnig bod Elen yn eistedd gyda nhw. 'No wê,' meddai Cari yn gadarn a throedio i ffwrdd tuag at y losin cyn i Elen ddod o hyd i'r geiriau iawn. Roedd Elen wedi teimlo ar goll wrth sefyll yno ar ei phen ei hun, yng nghanol y teuluoedd, yr arddegwyr, yn ciwio ger y ciosg. Hi oedd yn arfer gofalu am Cari. Ystyriodd Elen brynu losin i leddfu'r gwacter, ond doedd dim awydd arni.

Fe fu cyfnod byr ond digon lletchwith wrth i Elen aros iddyn nhw eistedd, pobol eraill yn gwthio heibio iddi yn ddigon diamynedd, fel taw hi oedd yr un oedd yn ffaelu penderfynu ar sêt. Fe'i trawodd yn sydyn – beth petaen nhw'n eistedd yn y rhes gefn? Roedd pawb yn gwybod beth oedd *hynny'n* ei olygu. Ond roedd Cari – a Jo tu cefn iddi – wedi mynd ymlaen, tuag at y rhesi blaen, a phenderfynu eistedd ar ôl yr hyn oedd wedi teimlo fel oes.

Suddodd Elen i sedd gyfagos, gan gadw pellter rhyngddi hi a'r person nesaf. Teimlodd ddefnydd garw yn procio cledr ei llaw yn annifyr. Cofiodd fynd i'r sinema gyda hen gariad, cadernid ei law yn gafael yn ei llaw hithau wrth iddyn nhw adael, wedi eu swyno gan ffantasi'r sgrin fawr. Gwyliodd y trelars. Roedd Gwyn wedi anghofio sut brofiad oedd bod yn ifanc. Roedd e wedi parchuso ers iddo briodi a dod yn dad, y bachgen ifanc direidus wedi ei gladdu yn y cof. Gwna fel dwi'n dweud ac nid fel o'n i'n arfer gwneud – dyna Gwyn. Wedi gwyngalchu ei laslencyndod, pan oedd e'n dipyn o foi, yn un golygus oedd yn denu sylw'r merched. Roedd Elen yn dal i gofio effaith ei lygaid llo ymddangosiadol ddiniwed arni, ei ddwylo garw oedd yn gwybod yn iawn beth oedden nhw'n ei wneud. Arferai doddi yn ei gwtsh cynnes, effaith ei wefusau fel anaesthetig – oedd, roedd actoresau'r sgrin fawr yn llewygu ym mreichiau'r arwr yn y nawdegau. Pathetig, gwenodd. Ond cadwodd yr atgof hi i fynd pan oleuodd y sinema i roi cyfle eto fyth i bobol brynu losin – i'r hen sinema wneud elw bach i'w chadw i fynd. Un o'r bobol oedd yn ciwio wrth y ciosg oedd ei merch hi. Mowredd y byd, Cari, sdim digon o losin 'da ti! meddyliodd. Teimlai Elen yn anesmwyth iawn. Cari yno, ond ddim yn gwmni iddi. Hi, Elen, oedd 'Dana dim mêts'. Rhoddodd stŵr iddi hi ei hun. Callia, fenyw. Doedd dim byd o'i le ar ei chwmni ei hun.

Roedd Elen wedi dychmygu y byddai hi'n falch o weld ei merch yn mentro i'r byd caru am y tro cyntaf. Y byddai hynny'n atgoffa Elen o pan gyfarfu hi a Gwyn. Y byddai'n ail-fyw y cyffro a'r ansicrwydd. Si-so perthynas gariadus. Y byddai hi'n gwrando yn gefnogol, Cari a hithau'n sibrwd yn gyfrinachol ar y soffa ac yn distewi pan ddeuai Gwyn i mewn i'r lolfa. Ond doedd hi ddim. Yn lle hynny, roedd hi'n ddwl o amddiffynnol. Bron ei bod hi'n grac bod y Jo yma'n meiddio dangos diddordeb. Dim rhyfedd bod dynion ifanc yn gallu bod mor ansicr.

Blinodd ar ddynion mewn cyfresi teledu, ffilmiau a phodlediadau yn cael eu portreadu yn llofruddwyr neu'n dreiswyr, yn ymosodwyr, yn angenfilod. Doedd e ddim yn deg. Pam na allai Elen ddechrau trwy feddwl y gorau felly? Ei fod e'n hen foi bach iawn? Ond roedd hi'n gwybod yr ateb i hynny. Cafodd nawddsant cariadon Cymru gam enbyd gan yr un yr oedd yn ei garu. Allai Elen ddim meddwl y gorau am hwn rhag ofn… rhag ofn ei fod e ddim mor ddiniwed ag yr oedd e'n ymddangos.

Roedd e bron â chyrraedd pen y rhes erbyn i Elen sylwi mai fe oedd yn cael ei dywys gan y perchennog a'i dortsh. Gwyn. Ymddiheurodd wrth fynd heibio'r bobol eraill oedd eisoes wedi eistedd. Llamodd calon Elen.

'Ydy'r sêt 'ma'n wag?' gofynnodd iddi.

'Brad Pitt newydd slipo i'r tŷ bach. Well i ti ishte glou cyn iddo fe ddod 'nôl.'

Rhoddodd ei law am ei llaw hi a gwasgu, yn gadarn, yn gefnogol. Gwenodd Elen.

'Ti 'ma,' meddai.

''Swn i'm yn methu Tomi'r blydi alsatian, na 'swn.'

Chwarddodd y ddau yn dawel.

Roedd e mor hawdd, eistedd wrth ei ochr, rhannu, yn ddiymdrech. Gwybod eich bod yn deall eich gilydd, y rhan fwyaf o'r amser. Onid oedd hi eisiau hynny i Cari hefyd? Roedd Elen wedi dyfalu'n gywir. Doedd hi ddim yn gallu eu gweld nhw'n glir iawn. Dim ond delwau cefn eu pennau. Hanner y stori. Yn sicr, ni allai weld na chlywed y digwydd i gyd.

Cyn gynted ag yr oedd y gân olaf yn cael ei chanu roedd Gwyn ar ei draed.

'Awr a hannar o 'mywyd na cha i fyth yn ôl,' meddai wrth iddyn nhw fynd allan. Hanner cellwair oedd e.

Dilynodd Elen e allan o'r theatr, allan o'r dderbynfa. Doedd hi ddim yn arbennig o gynnes yn yr hen adeilad ond roedd aer oer yr hydref yn sioc. Crynodd.

'Be nesa?' Cododd Gwyn ei aeliau.

'Aros,' atebodd Elen, gan symud ei thraed lan a lawr i geisio cadw'n gynnes. Fe allai synhwyro'r anniddigrwydd yn Gwyn.

Fe ddaeth Cari a Jo i'r golwg o'r diwedd, Cari ar y blaen, ar ras i rywle. Edrychai'r ddau yn ddigon bodlon eu byd. Do'n nhw ddim yn gwenu fel giatiau, ond ro'n nhw'n ddigon dedwydd, rhith o wên ar eu gwefusau.

'Dy'n nhw ddim yn dal dwylo, ta beth,' sylwodd Elen.

'Nachdan, gobeithio... Cari!' galwodd Gwyn cyn i Elen allu ei atal.

Trodd Cari at Jo, am eiliad, ac yna troedio tuag atyn nhw, gan symud yn erbyn y llif.

'Iawn?' gofynnodd Gwyn.

'Odw.' Y llais yn ddigyffro ac yn gyfarwydd.

'Ti'n siŵr?'

'Odw.'

Edrychodd Gwyn ac Elen ar ei gilydd.

'Wnest ti joio?' gofynnodd Elen yn llon.

'Do.'

Roedd Jo yn dal yno, yn ceisio cau'r sip ar ei got.

'Jo isie lifft?' gofynnodd Elen.

'Sai'n gwbod.'

'Well gofyn iddo fe?'

'Na.'

'Adra â ni, 'lly?'

'Ie.'

'Da oedd yr hen Tomi,' meddai Gwyn gan godi'r gwres i gynhesu'r car. Roedd e'n llawn hwyl nawr.

'Ie,' chwarddodd Cari. 'O'n i'n lico fe.'

A beth am Jo? gofynnodd Elen iddi hi ei hun. Sut oedd Cari'n teimlo amdano fe?

CARI

'Fi 'di ca'l diwrnod drwg.'

'O, na! Beth sy'n bod?'

'Diwrnod drwg, 'na gyd.'

'Beth sy 'di digwydd?'

'Ma Mrs Mason isie i ni fynd i'r gampfa, ond sai isie mynd achos bo' Hanna'n mynd.'

'Wel, dyw hynny ddim yn deg ar Hanna, odi fe?'

'Ond Mam, sai isie mynd!'

'Cari, ma Mam yn gwrando ar beth ti'n gweud. Gwranda di arna i nawr…'

'Na, Mam, sai'n mynd!'

'Ti moyn i fi ddod i nôl ti o'r ysgol? Allwn ni ga'l siocled poeth a siarad am beth sy'n poeni ti.'

'Ti'n gweitho.'

'Wel, odw… ond dwi'n siŵr alla i gael hoe fach am hanner awr i dreulio gyda fy mer–'

'Na, fi'n mynd i Consti. Wela i di wedyn. Ta-ra.'

'Ca–'

ELEN

Roedd Cari ar ras fel arfer. Wedi diffodd y ffôn cyn i Elen gael cyfle i ddweud 'hwyl fawr', neu rywbeth mwy pwrpasol fel 'bydda'n ofalus' a 'dere gatre'n saff'. Gwyddai Elen mai ei merch oedd yno pan glywodd ffôn y tŷ yn canu, ychydig ar ôl hanner awr wedi tri. Doedd y ffôn hwnnw ddim yn canu'n aml. Roedd y rhan fwyaf o bobol yn ei bywyd yn anfon neges destun, Messenger, WhatsApp neu e-bost ac, ie, yn cwrdd â hi wyneb yn wyneb o dro i dro.

Roedd Elen yn paratoi cyflwyniad am strategaeth ariannol y cwmni i'w gyflwyno i'r staff eraill, ond pan glywodd lais ei merch symudodd yn ddidrafferth o'i statws proffesiynol i'w rôl fel mam. Atebai Cari hi ar y ffôn heb ateb o gwbwl. Fe allai Elen glywed lleisiau aneglur yn y cefndir a sŵn sifflan symud wrth i Cari gerdded adre. Roedd y lôn o'r ysgol yn ddigon prysur ac roedd hynny'n beth da. Roedd yn mynd â hi ar hyd y rhodfa i'r parc, heibio'r ardal chwarae lle treuliodd Elen oriau gyda hi. (Fe allai glywed chwerthiniad Cari fach yn ei phen o hyd.) Ac ymlaen wedyn ar hyd y goedlan gysgodol tuag at faes parcio'r ganolfan siopa.

Cododd Elen ar ei thraed a chymryd cip trwy'r ffenest.

Roedd hi'n olau dydd o hyd, er ei bod hi wedi dechrau tywyllu. Gwyddai fod digon o bobol o gwmpas yr holl ffordd o'r ysgol hyd at drên Consti ar waelod y teras. Byddai angen i Cari groesi'r hewl fwy nag unwaith, ond er ei gwylltineb fe fyddai hi'n cofio'r wers: oedi ac edrych i bob cyfeiriad cyn mentro ymlaen.

Ar ôl i Cari fynd i'w byd bach ei hun teimlai Elen yn annifyr. Gwnaeth yr hyn roedd hi wedi dysgu ei wneud yn y clwb i reoli curiad ei chalon ar ôl rhedeg yn galed. Anadlodd yn ddwfn, sawl gwaith. Roedd y digwyddiad diweddar ar Consti wedi gadael blas cas yn ei cheg.

*

Rhedeg i Consti oedd hi. Dim byd newydd yn hynny. Roedd Bow y ci yn gwmni iddi ac roedd hi wedi tynnu'r cwrci bach oddi ar ei dennyn unwaith gyrhaeddon nhw'r giât a'r ffordd garegog oedd yn arwain at lwybr yr arfordir. Doedd y llwybr ddim yn un prysur ond prin y bydden nhw'n ei rodio heb weld unrhyw un. Petai rhywun yn meiddio dod ar eu traws, fe fyddai Bow yn cyfarth yn wyllt, yn amddiffyn ei diriogaeth. Fyddai e ddim yn ymosod ar neb. Babi mawr oedd e. Babi mawr, uchel ei gloch. Pan gyrhaeddodd Elen yr orsaf radar fe sylwodd hi ar ddau beth: hen ddyn oedd yn cerdded tuag ati ac Audi tywyll oedd wedi ei barcio ar y gornel hanner canllath o'i blaen. Nabyddodd Elen nhw: y dyn tal anystywallt ei wallt a'i farf, ynghyd â'r car a'i berchennog. Marc oedd yn y car, mab rheolwr y datblygiad ar Consti. Roedd Elen yn gyfarwydd â'r locsyn anniben yn y siwt hefyd, gan iddi ei weld yn cario ei fagiau plastig sawl tro. Dymunodd Elen 'bore da' i'r hen foi ac anghofio amdano, bron, i bendroni beth oedd Marc yn ei wneud ar stop. Ni fu angen iddi fyfyrio yn hir, achos pan gyrhaeddodd Elen yr Audi fe welodd ei wyneb cyfeillgar ac esboniodd wrthi.

'Stopies i'r car rhag ofn,' meddai Marc. 'Dyw'r dyn yna... ma fe wedi bod yn poeni pobol ar Consti, yn gweiddi pethe annymunol, pethe hiliol. Ni 'di goffod galw'r heddlu sawl gwaith. Mae e'n sâl, fi'n credu, yn diodde o salwch meddwl... O'n i moyn neud yn siŵr bo' chi'n iawn.'

Diolchodd Elen iddo. Roedd cymaint o ladd ar bobol ifanc, ar ddynion ifanc, a dyma ŵr ieuanc oedd yn edrych o'i gwmpas yn ystyriol, yn herio ymddygiad gwrywod eraill. Y syniad hwnnw oedd wedi cynnal Elen wrth iddi redeg i ben y clogwyn a throi ei chefn ar yr olygfa ysblennydd o Fae Ceredigion yn barod i fynd yn ôl, i sicrhau digon o gamau ar Strava.

Wrth iddi redeg am adre, dringo'r llethr olaf cyn y gornel fawr lle byddai'n dechrau disgyn am i lawr, dyna ble roedd y llall. Roedd y locsyn yn sefyll ar ganol y lôn. Doedd e ddim yn atal ei ffordd hi yn union, ond fe groesodd feddwl Elen y gallai wneud hynny. Roedd e yno, ar y llwybr. Dim modd ei osgoi. Oedd e'n ei gwylio hi? Roedd hi'n anodd dweud i ba gyfeiriad yr oedd ei lygaid yn crwydro y tu ôl i'r sbectol bot jam. Beth fyddai hi'n ei wneud petai e'n ei herio – yn trio ymosod arni hyd yn oed? Doedd Elen ddim yn cario ei ffôn a doedd hi ddim yn cario arf o unrhyw fath, dim hyd yn oed allwedd y car y gellid rhoi ei bys metel rhwng bysedd ei dwrn... Diawliodd ei hun am fod mor serchog wrtho, yn dymuno 'bore da', yn trin pobol fel yr oedd hi'n dymuno cael ei thrin, fel yr oedd hi wedi ei ddysgu yn yr ysgol Sul. Penderfynodd redeg heibio iddo nerth ei thraed, heb edrych arno. Tynnodd ar y tennyn i gadw Bow yn agos iddi. Roedd Elen yn hyderus y gallai symud yn gynt nag e. Ond beth petai e'n cael gafael arni rhyw ffordd? Roedd e dipyn yn dalach na hi ac roedd e'n ddyn. Oedd e'n gryfach na hi? Troediodd Elen yn fwy hyderus nag yr oedd yn ei deimlo, ei chalon yn ei gwddf, y storm yn ei mynwes, yn meddwl am Gwyn, yn meddwl am Cari, ac wrth iddi ei basio dechreuodd y dyn weiddi.

'Y ci... y ci...' galwodd. 'I'r môr â'r ci! I'r môr!'

Roedd Elen yn dal i gorddi ar ôl iddi fynd heibio iddo. Anadlodd yn ddwfn, unwaith, ddwywaith. Daeth ati ei hun fesul cam wrth iddi agosáu at adre.

Rhannodd yr hanes gyda Gwyn ac roedd hynny'n ddigon i gau'r drws ar y gwynt. Ond doedd e ddim yn cael gwared ar ei fodolaeth, y bwgan gwalltog. Roedd hi wedi ei weld, wedi clywed ei stori. Fe allai fod yno eto, ar y ffordd. Roedd hi'n debygol y byddai e yno eto. Doedd e ddim yn deg i dderbyn na fyddai hi a'i theulu yn gallu dringo'r llwybr i ben Craig-glais rhag ofn iddyn nhw ddod ar ei draws. Doedd e ddim yn iawn i'r ansicrwydd yma fod yn rhan anorfod o fywyd. Ddim dyletswydd menyw oedd cadw ei hun yn ddiogel. Roedd byw mewn ofn yn feichus. Ond roedd rhywbeth mawr yn bod ar gymdeithas oedd yn llygadu pob dyn yn amheus hefyd. Roedd y sefyllfa'n annerbyniol, ond beth oedd Elen yn mynd i'w wneud – trosglwyddo ei hofnau i'w merch ei hun?

*

Cododd Elen ei llygaid o'r sgrin lle roedd hi'n ymbalfalu am y geiriau Saesneg wrth baratoi manylion y gyllideb yn ddwyieithog ar gyfer y cyflwyniad. Llygadodd ei ffôn. Rhythu arno fel gwylan yn barod i ymosod ar froc môr. Fe fyddai'n ffonio Cari, yn mynnu ei bod yn cysylltu â'i mam pan oedd hi ar fin gadael Consti. Yna, fe fyddai Elen yn gwisgo ei chot, yn gafael yn ei mobeil ac allwedd y car, gan arfogi ei hun gyda'r bys metel, ac yn mynd i hebrwng ei merch. Cododd y ffôn a gwasgu llun Cari. Doedd dim ateb. Yr eiliad nesaf roedd yna sŵn seiren amgen, Gav yn cysylltu â hi ar Teams. Roedd hi wedi anfon y ffeil Excel ato y pnawn hwnnw, gyda'r ffigyrau gwariant diweddaraf.

'Haia, sut wyt ti, Elen? Meddwl y byddai'n syniad da i ni fynd trwy'r ffigyrau wyneb yn wyneb, yn lle anfon negeseuon 'nôl a mlaen.'

O leiaf roedd e wedi cydnabod bod modd trafod yn ddigidol, yn hytrach na gofyn iddi wastraffu tanwydd prin trwy yrru yr holl ffordd i'r swyddfa am un cyfarfod tila. Anadla, Elen. Ti'n gweithio iddyn nhw ers deng mlynedd, ti'n gwybod yn iawn beth ti'n wneud. Erbyn iddi gael gwared ar Gav, roedd hi wedi colli deugain munud. Eisteddai ei ffôn yn gorff ar y bwrdd. Aeth Elen allan o'r tŷ fel mellten, gan gau'r drws ar Bow anystywallt a dechrau dringo'r rhiw.

Roedd hi'n wlyb dan droed. Dail hydrefol yn garped soeglyd, gwlithod wedi gadael llwybrau gludiog. Llithrodd a chyn ei bod yn gallu unioni ei cham roedd wedi cwympo ar ei phenliniau, cledr ei llaw dde yn taro'r tarmac. Gwingodd. Cododd gan frwsio'r ffrwcs oddi ar ei choesau. Roedd yna faw a phigiadau bach o waed ar ei llaw. Clywodd sŵn car a symudodd Elen i'r ochr. Aeth y Fiesta bach heibio iddi. Gwelodd gip o Cari yn y sedd flaen. Trodd ar ei sawdl a cherdded yn ofalus i lawr y rhiw. Erbyn iddi gyrraedd 'nôl roedd y Fiesta'n anelu i fynd i lawr am y dref a Cari wrth ddrws y tŷ. Cododd Elen ei llaw yn ansicr i ddiolch i Jo am y gymwynas. Roedd e wedi arbed Cari rhag gorfod cerdded adre, chwarae teg. Teimlodd Elen yr hen ansicrwydd. Unwaith bod ei merch yn y car fe allai e fod wedi mynd â hi i unrhyw le. Pwy a ŵyr beth allai fod wedi digwydd?

CARI

O'dd gan Cari gês newydd ar ei ffôn. O'dd hi'n dal y ffôn yn ei llaw chwith. O'dd dal pethe'n ei llaw chwith yn haws iddi hi.

'Wnes i joio yn y sinema,' medde Jo.

'A fi. Fi'n lico cŵn,' atebodd Cari.

Do'dd Jo ddim wedi sylwi ar y cês ffôn newydd.

'Beth amdano fi?'

'Ti'n lico cŵn. Ti'n lico Bow.'

Chwarddodd Jo. Siglodd ei ben. O'dd e'n gwenu. O'dd ei geg mewn siâp gwên. Edrychodd Cari ar ei lygaid. Sêr llachar. Penderfynodd. O'dd, o'dd e'n edrych yn hapus.

'Ti'n lico *fi*?' gofynnodd. O'dd ei lais yn dawel iawn. Pam o'dd ei lais e'n dawel?

'Ie, odw,' atebodd Cari.

O'dd y cês yn gofalu ar ôl y ffôn, fel bod e ddim yn torri. O'dd hi'n mynd i weud hynny wrth Jo ond yna wedodd e rwbeth arall.

'Beth ti'n lico amdano fi?' gofynnodd.

O'dd Cari'n methu gweld llygaid Jo nawr. O'dd e'n edrych i lawr ar y llawr. O'dd yr awyr lachar yn llygaid Cari. Cododd Cari y ffôn i fyny i'w thalcen fel pig cap. Llawer gwell. Beth o'dd hi'n hoffi am Jo?

'Ti'n dda gyda hufen iâ... Ma fe'n odli! Da a hufen iâ. Odi fe'n odli, Jo?'

'Odi... Ife 'na beth ti'n lico ambytu fi?'

'Ti'n gwbod beth yw hoff flas hufen iâ fi – fanila,' medde Cari.

'Ma hynny'n odli hefyd – hufen iâ a fanila.'

'Ie, odi. Ond dyw popeth ddim yn odli,' cywirodd Cari e.

'Na, ti'n iawn... Cari?'

O'dd e'n mynd i ofyn cwestiwn arall? Beth o'dd e moyn gwbod nawr?

'Fi'n lico dy gwmni di...' medde fe.

'Pam?' gofynnodd Cari.

'Ti'n ddoniol.'

'Ma Dad yn ddoniol.' Gwenodd Cari wrth feddwl am Dad. O'dd Dad wedi mynd â hi i'r siop, i brynu cês y ffôn.

'Ti'n dilyn dy dad, 'te.'

'Dilyn Dad i ble? So ti'n neud sens.'

Crychodd Cari ei hwyneb. Chwarddodd Jo.

'Ti'n gweld? Ti'n ddoniol iawn.' O'dd e'n gwenu ar y cryche.

Crymodd Cari ei hysgwydde. Do'dd hi ddim yn meindio bod yn ddoniol. Weithie, pan fydde rhwbeth bach yn mynd o'i le, fe fydde hi'n chwerthin. Yn chwerthin arni ei hunan. Fe fydde pobol erill yn chwerthin hefyd weithie. O'dd hi'n lico hynny. Pawb yn chwerthin. Popeth yn iawn. Edrychodd ar y ffôn. Do'dd Dad ddim wedi ffono. O'dd e wedi anfon llun o Tom a Shirley iddi pnawn yma. O'dd Cari wedi anfon emoji calon 'nôl.

'Ti'n lico McDonald's?' gofynnodd Jo.

'Fi'n caru McDonald's.'

'Licet ti fynd i McDonald's rhywbryd... gyda fi?'

'Fi'n mynd i McDonald's bob wthnos, ar ôl nofio. Byrger plaen a sglods a Fruit Shoot. Cyrens duon.'

''Run peth bob tro?'

'Ie.'

'Hufen iâ fanila bob tro. Byrger plaen bob tro. Ti'n driw iawn i dy hoff bethe.'

'Ie.'

'Ma hynny'n beth da, gyda llaw, bod yn driw, bod yn ffyddlon,' medde Jo.

'Odi,' cytunodd Cari.

Pan fydde Dad yn ffono fydde hi'n amser mynd adre. O'dd well iddi fynd adre cyn i Dad ffono? O'dd hi wedi oeri ond o'dd cot i ga'l 'da hi.

'So ti byth yn ffansïo newid bach... ca'l dy demtio i drio rhwbeth gwahanol?' gofynnodd Jo.

'Hmmm? Na.'

'Byrger plaen amdani, 'te. Alla i ddod i nôl ti yn y Fiesta. Mynd â ni draw i McDonald's. Mynd mewn i ga'l bwyd, ishte lawr... os ti moyn... dim ond os ti moyn.'

'Ie.'

O'dd well iddi fynd nawr?

'Ti ddim yn swno'n siŵr... Cari... McDonald's... ti'n siŵr?'

'Ocê.'

'Dydd Sadwrn?'

'Ie.'

'*That's a date.*'

'Dêt?' chwarddodd Cari.

Chwarddodd Jo hefyd. Edrychodd hi ar ei lygaid gloyw. O'dd e'n edrych yn hapus iawn.

Daeth Nadine draw.

'Beth y'ch chi'ch dou ddrwg yn chwerthin ambytu?'

'Ni ddim yn ddrwg – odyn ni, Jo?'

'Nag y'n, ni'n neud gwaith da.'

'Ni'n mynd i McDonald's.' Do'dd Cari ddim wedi bwriadu gweud hynny'n uchel. Neidiodd y geirie mas o'i cheg fel poer. O'dd hynny'n digwydd weithie.

'Odych chi?' Do'dd Nadine ddim yn swno'n siŵr. Trodd at Jo. 'Odych chi, Jo?'

'Fi'n mynd nawr. Ta-ra.' Dechreuodd Cari gerdded, y ffôn yn saff yn ei llaw.

'Wela i ti nos Sadwrn,' galwodd Jo.

Ie, medde Cari yn ei phen. Gwelodd Nadine yn agor

ei cheg, fel tase hi'n gweud rhwbeth hefyd. Os o'dd hi'n gweud rhwbeth, o'dd Cari'n methu clywed y geirie. Dim ots.

ELEN

'Dad, ma dêt 'da fi.'

'Dim ffiars o beryg.'

Clywodd Elen sgwrs Cari a Gwyn wrth iddi ddod i mewn i'r gegin yn cario basgedaid o olch.

'Beth wedest ti?' gofynnodd.

'Gynni hi ddêt, mae'n debyg.' Gwyn atebodd, yn mwytho pen y ci yn frwd.

Arafodd Elen ei chamau a rhoi'r fasged i lawr ar gadair uchel. 'Dêt! Gyda phwy?'

'Efo pwy? *Lover boy*, 'de!'

'Gwyn!'

'Iawn, sori.' Yna, sibrydodd wrth ei wraig, 'Dydy hi ddim yn mynd.'

Roedd eu merch wrthi'n tynnu trugareddau o'i bag trwm: hen lyfr ysgol oedd wedi gweld dyddiau gwell, afal wedi cleisio, potel ddŵr ac ail botel, amlen gyda 'Mr a Mrs Roberts' arni a bocs bwyd sawl diwrnod oed.

'Ble ti'n mynd, 'te, cariad?' gofynnodd Elen i Cari.

Cododd Gwyn ei law dde mewn anobaith a rhythu ar ei wraig. Darllenodd Elen ei stumiau. Roedd e newydd ddweud bod Cari ddim yn mynd ar ddêt a nawr roedd Elen yn ei hysgogi hi.

'McDonald's,' atebodd Cari.

'*No expense spent*, myn diain i.'

'Dyna… mmm, neis.' Edrychodd Elen ar Gwyn gan geisio atal pwl o chwerthin ond roedd gwên ddireidus ei gŵr yn ei goglais.

'Mae o'n gwbod sut ma rhoi ffîdan iawn i ddynas, tydi.'

'Mewn i'r Tardis nawr, Gwyn, er mwyn i ti ga'l dod mas o'r nawdegau ac ymuno â ni yn y mileniwm newydd.'

'Tardis?'

'Dadi sy'n siarad fel dyn 'slawer dydd. Ma pethe 'di newid 'mbach, Gwyn.'

'Ti'n deud 'tha i. Dwi methu deud dim byd yn iawn rownd lle 'ma.' Winciodd Gwyn ar Elen. Siglodd hithau ei phen.

'Falle mai Cari fydd yn talu am fwyd Jo,' meddai.

'Ma arian 'da fi.'

'Yn gwmws. Ma Cari yn ennill ei harian ei hun ar Consti.'

'Cadwa dy bres. Gad iddo fo dalu.'

'Ca'l dy ganiatâd di i fynd nawr, odi ddi?'

Anelodd Gwyn ei sylw at ei ferch.

'Ydy o yn yr ysgol?' gofynnodd.

'Na, mae e'n Consti.'

Ochneidiodd Gwyn. Cymerodd Elen yr awenau.

'Ydy e'n gweithio ar Consti yn llawn amser?'

'Mae o yno bob blydi tro ti'n mynd yno, tydi, Cari,' meddai Gwyn yn sur. Roedd e wedi ei siomi gan y busnes lleol hwn ers iddo weld y fflag Brydeinig yn chwifio ar hanner-mast ar ôl marwolaeth y Frenhines. Doedd e ddim wedi gwrthod yr amser ffwrdd ar ddiwrnod ei hangladd hi chwaith, er ei egwyddorion.

'Mam!' plediodd Cari.

Edrychodd Elen arni, wedi gadael y cawdel ar y bwrdd, y pethau fel pos yr oedd hi'n methu rhoi trefn arno. Nodiodd ei phen ar ei merch. Trodd Elen at ei gŵr.

'Pam ti'n gofyn, Gwyn?'

'Dwi isio gwbod be ydy oedran Romeo.'

'Dim Romeo!' meddai Cari.

'Jo, 'ta. Ma byd o wahaniaeth rhwng hogyn ysgol oed Cari a dyn yn ei ugeiniau. Dwi'n gwbod, tydw...'

'Ti 'di gweld e, Gwyn.'

'Do, ond be ydy'i oed o? Cari, atab...'

'Sai'n gwbod.'

'Wel, ma isio ti ddechrau holi, 'ta. Ti'n gofyn un cwestiwn ar ôl y llall fel arfar.'

'Gwyn.'

'Fatha'r Gestapo, tydi.'

'Gwyn!'

'Angan iddi dyfu fyny a dechra holi'r ffrind newydd 'ma – yn lle bod mor ddiniwad.'

'O'n i'n meddwl gwisgo jîns.' Torrodd Cari ar eu traws, fel petai hi wedi bod yn cau ei chlustiau i'r bigitan.

'Be?'

'Wel, ie, gwell na dillad carchar.' Cyfeiriai Elen at y trowsus loncian llac a'r hwdi yr un lliw yr oedd Cari yn byw ynddyn nhw gartre.

'Dim dillad carchar y'n nhw, Mam.'

'Ma'n nhw'n edrych fel dillad carchar.'

'Siŵr i mi weld Kim Kardashian yn gwisgo rhwbath tebyg,' meddai Gwyn.

'Pwy?'

'Yn union.'

'Wy 'di prynu sawl top pert i ti o New Look.' Rhoddodd Elen gynnig arall ar berswadio Cari i ddewis rhywbeth mwy deniadol i'w wisgo. Gwyddai fod Cari yn dewis dillad fyddai'n hawdd i'w trin, gwyddai hefyd fod teimlad rhai defnyddiau'n fwy derbyniol iddi. A beth oedd Elen yn ei wneud, ei chymell hi i edrych yn fwy merchetaidd?

'Hwdi. Fi'n mynd i wisgo hwdi. Ma Jo yn lico hwdi fi.'

'Wel, 'na fo, 'ta.' Fe wnaeth Gwyn lygaid mawr, pryfoclyd. Doedd e'n helpu dim!

'Fydda i ddim yn hwyr,' meddai Cari.

'Na fyddi. Ddo i i nôl ti.'

'Na, sdim isie. Ga i lifft adre 'da Jo.'

'Ddo i i nôl ti,' mynnodd Gwyn.

'Dad!'

'Faint o'r gloch?'

'Dad!... Mam!'

'Ma Dad... a Mam, ni moyn neud yn siŵr bod ti'n saff, 'na gyd.'

'Fi'n un deg whech.'

'Wyt, wrth gwrs bod ti.'

'Lan i fi ma fe, 'te.'

'Iawn.'

'Blydi hel, Elen!'

'Diolch, Mam.'

'Dos â'r ffôn efo ti. Gwna'n siŵr ei fod o ar tsiarj.'

Gwnaeth Gwyn arwydd ar ei wraig. Roedd e'n amlwg yn meddwl ei bod hi wedi drysu.

'Beth sy'n bod?' gofynnodd iddo ar ôl i Cari adael y stafell.

'Ti, 'de... ei hannog hi.'

'Dwi ddim yn ei hannog hi. Ond ma'n rhaid i ni dderbyn ei bod hi'n tyfu lan. Mae'n fenyw ifanc, mae ganddi ddymuniadau, dyheadau...' ymbalfalodd am y geiriau.

'Paid, wir dduw.'

'Ma'n eitha gwir i ti. Ma'n siŵr bod ganddi deimladau... rhywiol?'

'Yli, dwi'm isio gwbod.'

'Nag wyt, sbo. Ond falle'u bod nhw'n bodoli.'

Edrychodd Gwyn o'i gwmpas, yn osgoi edrych i fyw ei llygaid. Ofnai Elen y byddai ei datguddiad yn rhoi'r gorau i'r sgwrs.

'A be amdano fo? Siŵr bod un peth ar feddwl Jo...'

'Fyddan nhw mewn lle cyhoeddus... ac os fydd e'n archebu Big Mac, wel, fydd ddim gobeth 'da fe am gusan.'

'Be?'

'Neith hi'm cyffwrdd ag unrhyw beth sy'n drewi o winwns a phicls!'

Aeth Elen draw at ei gŵr a rhoi ei breichiau amdano.

'Dwi dal isio bod yno,' meddai Gwyn yn dyner.

'Dwi'n gwbod.' Cusanodd Elen ef.

Daeth Cari trwy'r drws yn swnllyd.

'Stopiwch hi!' meddai'n llon, yn llawn embaras wrth weld ei rhieni'n closio. 'Fi moyn bwyd.'

'Ma digon o afalau 'ma,' meddai Elen.

Gwgodd Cari. Sibrydodd Elen wrth Gwyn,

'Fydd hi'n rhy fisi'n bwyta'i byrger i gusanu neb.'

Methodd yr ergyd â chodi gwên ar wyneb Gwyn.

CARI

O'dd Jo yn dal ei llaw hi y tu fas i McDonald's – do'dd Cari ddim yn siŵr pam. Do'n nhw ddim ar fin croesi'r hewl. O'dd Cari a Mam yn arfer dal dwylo pan o'n nhw'n croesi'r hewl. Do'n nhw ddim yn dal dwylo nawr, ddim yn amal. O'n nhw 'run taldra nawr. Hi a Mam.

★

'Falle bydde pobol yn edrych arnon ni'n od,' medde Mam am ddal dwylo. Yna o'dd Mam wedi edrych ar Cari, fel 'se Mam wedi ca'l ofn ei geirie ei hun.

'Ti sy'n od, Mam.' Crychodd Cari ei haelie. 'Pam fydde pobol yn edrych yn od?'

'Ti'n iawn. Sdim ots beth ma'n nhw'n meddwl, o's e, Cari?'

Do'dd Cari ddim yn siŵr pwy o'n 'nhw' ond do'dd hi ddim isie dangos. O'dd Cari'n neud hynny – ddim yn dangos pan o'dd hi ddim yn deall pethe. O'dd Mam yn siarad amdanyn 'nhw' yn amal. Ond do'n 'nhw' erio'd 'di bod i dŷ Cari – rhif 5 ar y teras – am baned o de na glased o win. Ac o'dd Mam yn hoffi glased o win.

O'dd Mam yn yfed gwin neithiwr ac o'dd hi wedi gweud wrth Cari ei bod hi'n hoffi dal llaw Dad.

'Yw Mam a Dad ar YouTube yn dal dwylo weithie?' gofynnodd Mam i Cari.

'Ie... odyn,' atebodd Cari. O'dd hi'n gwylio 'diwrnod dweud ie' y teulu ar YouTube. O'dd Mam a Dad y teledu yn dda am weud 'ie'.

'Pam ti'n meddwl ma'n nhw neud hynny? Dal dwylo?'

'Sai'n gwbod.'

'Achos bo' nhw'n briod... yn gariadon?'

'Falle.'

'Ti'n gwbod beth yw cariadon, Cari?'

O'dd Mam yn dechre mynd ar ei nyrfs hi nawr. O'dd merch teulu YouTube mewn siop anferth ac o'dd Cari yn trio ei gwylio hi a'r teganau. Ta beth fydde'r ferch isie, bydde Mam a Dad y teledu yn ei brynu fe.

'Cari... Cari...'

'Mmm...'

'Ma rhai pobol yn dweud bod dou berson yn "mynd mas gyda'i gilydd". Mae e'n meddwl mwy na mynd "mas" trw'r drws. Ma'n nhw'n mynd i lefydd eraill... i'r sinema... am dro... am fwyd...'

'McDonald's.'

'Ie, fe allen nhw fynd i McDonald's, sbo.' O'dd Mam yn siarad yn araf, do'dd hi ddim yn swno'n siŵr iawn.

Fel hyn o'dd Mam yn siarad pan o'dd Dad yn gofyn, 'Lle mae goriad y car?' Bydde Mam yn ateb yn araf, 'Dwi'n gwbod ble ma allwedd car fi, Gwyn, ond dim fy ngwaith i yw gwbod ble ma allwedd dy gar di.'

★

O'dd Cari a Jo wedi bod i'r sinema. Nawr o'n nhw mas yn ca'l bwyd. O'n nhw'n gariadon, 'te? meddyliodd Cari wrth gofio sgwrs Mam gyda'r gwin. O'dd Hanna wedi gofyn iddi hi un tro, 'Ti isie sboner?' O'dd Cari wedi ateb, 'Na.'

'Fi'n lico ti,' medde Jo wrthi hi.

O'dd Cari isie bwyd pan gyrhaeddon nhw McDonald's. O'dd hi'n lico byrger a sglods. Ond chwarddodd Cari ar eirie Jo. Do'dd e ddim yn rhwbeth o'dd pobol yn gweud wrth ei gilydd yn uchel. O'dd Mam a Dad yn gweud 'caru ti' wrthi hi ac wrth ei gilydd, ond byth 'fi'n lico ti'.

'Pam ti'n chwerthin?' gofynnodd Jo.

Dechreuodd hi chwerthin mwy.

'Wyt ti'n lico fi?' gofynnodd Cari iddo fe.

'Odw,' atebodd e'n syth.

O'dd Cari'n lico Jo hefyd. O'dd e wastad yn garedig, o'dd ganddo fe amser iddi hi.

'Ma fe'n hael gyda'i amser' – dyna beth o'dd Mam-gu

yn galw hyn. O'dd hynny'n fwy pwysig na bod yn hael gydag arian. O'dd amser yn fwy gwerthfawr, medde Mam-gu. O'dd Mam-gu yn rhoi arian i Cari weithie. O'dd Cari'n lico hynny hefyd. Ond o'dd Mam-gu'n iawn. O'dd well 'da Cari dreulio amser gyda hi.

'Ti isie mynd gatre?' gofynnodd Jo.

'Na.'

'Ti isie mynd am dro, 'te? Ma hi'n sych. Allen ni gerdded draw i'r parc sglefrio a 'nôl.'

O'dd Hanna yn sglefrio weithie. Fydde Hanna yna amser hyn?

'Ie,' atebodd Cari.

Dyna pryd o'dd Jo wedi gafel yn ei llaw hi. Ro'n nhw'n dal dwylo wedyn.

Crynodd y ffôn yn ei phoced. Dad. Anwybyddodd e.

O'dd Cari'n gallu gweld y parc sglefrio wedi ei oleuo, fel reid yn y ffair. O'dd hi'n methu gweld Hanna.

'Hanna? Ti yna?' galwodd.

Yn sydyn, stopodd fan o'u blaenau nhw. Daeth dyn mas fel gwth o wynt. Dad.

'O, helô...' medde Jo.

Ddwedodd Dad ddim byd. Aeth Dad yn syth at Jo, rhoi cledrau ei ddwylo ar ei frest a'i wthio fe.

'Be ti'n feddwl ti'n neud?' gwaeddodd Dad ar Jo.

Do'dd Cari ddim yn goffod edrych ar wyneb Dad.

O'dd hi'n gallu clywed y peth yn ei lais. O'dd e'n grac
fel cacwn.

'Mynd am dro,' atebodd Jo.

'McDonald's ddudist ti. 'Dan ni ddim yn McDonald's,
nag'dan? Ydan nhw'n gwerthu McFlurrys yn y parc
sglefrio rŵan?'

Arhosodd Dad ddim am ateb.

'Gad lonydd iddi – dallt!'

O'dd e'n rhythu ar Jo.

'Cari – yn y fan!'

O'dd e'n siarad â hi, Cari, nawr ond o'dd e'n edrych
ar Jo o hyd.

'Na,' atebodd Cari.

O'dd ei bol hi'n troi, ei phen hi'n troi. Beth o'dd yn
bod ar Dad?

'Mewn i'r fan!' gwaeddodd.

'Dad!' llefodd Cari.

'Dwi'm yn deud eto. Gwranda – neu dim WiFi!'

'Dad!'

O'dd hi'n grac gyda fe hefyd. Edrychodd ar y fan.
Gwelodd Bow, ei ben yn pwyso ar y ffenest agored. Aeth
hi draw at Bow ac i mewn i'r fan. Dawnsiai Bow yn y
sedd fla'n. O'dd Bow yn falch o'i gweld hi, yn neidio
arni, yn siglo ei gwt, yn llyfu ei hwyneb.

'Bow!' Aeth y ci â'i sylw hi. 'Ti 'di gweld isie fi, Bow?
Ma Bow 'di gweld isie fi.'

Daeth Dad i mewn i'r fan, y drws yn taranu ar gau ar ei ôl. O'dd e'n edrych o'i fla'n ac yn dechre'r injan ac yn estyn y gwregys yr un pryd. O'dd e'n grac, cofiodd Cari. Cofiodd rwbeth arall – do'dd hi ddim wedi gweud ta-ta wrth Jo. Edrychodd mas trw'r ffenest, ond o'n nhw'n mynd am adre erbyn hynny, i'r cyfeiriad arall.

O'dd hi'n grac gyda Dad o hyd.

'Ma fe lan i fi beth fi'n neud!' gwaeddodd Cari.

'Nachdi, ddim. Dwi'n dad i ti. Fi sy'n gwbod ora!' O'dd Dad yn pregethu.

'Fi ddim yn blentyn, Dad!'

'Ti'n blentyn i fi!'

Aethon nhw 'nôl a mla'n, fel gêm wael o denis, nes iddyn nhw flino a setlo i dawelwch oer cyn cyrradd y tŷ.

Aeth Cari trw'r drws. O'dd Mam yn sefyll yn y gegin.

'Ti'n iawn?' gofynnodd hi.

'Ma Dad yn grac 'da fi!'

'Gwranda, cariad –'

Do'dd Cari ddim isie gwrando. Rhedodd hi lan stâr yn ei chot. Trodd y teledu mla'n a gorwedd ar y gwely. Teimlodd y dagrau'n dod.

'So fe'n deg!' gwaeddodd a sychu ei thrwyn yn llewys ei chot.

Ar ôl sbel aeth y teledu â'i sylw hi. O'dd pentwr o

barseli ar y bwrdd yn y tŷ ar YouTube. O'dd y teulu ar fin eu hagor nhw.

'*It's like your birthday*,' medde Dad ar y teledu yn gwenu. O'dd e'n gwenu'n amal.

'*It* is *my birthday*,' atebodd y ferch.

Stopiodd y crio a dechreuodd Cari chwerthin.

Clywodd ei ffôn yn canu. Edrychodd ar y sgrin. Jo. Gwasgodd y botwm. Emojis – dwy gwningen yn ymladd, gwên a chalon. Rhoddodd Cari y ffôn i lawr a straffaglu i dynnu ei chot.

Daeth cnoc ar y drws mewn sbel fach.

'Ie?' galwodd.

'Rala Rwdins ac Alun yr Arth sy 'ma. Gawn ni ddod i fewn?' medde llais Mam.

Chwarddodd Cari'n ysgafn. Ro'n nhw'n ddwl bost.

Agorodd y drws. Mam a Dad o'dd yn sefyll yno.

'T'isio siocled poeth?' gofynnodd Dad. O'dd 'da fe gwpan yn ei law gyda llun cath arno.

'Mam i ddod ag e 'ma,' medde Cari mewn llais athrawes flin. Do'dd hi ddim yn flin o ddifri.

'Ga i neud o?' gofynnodd Dad.

'Mam.' Yn gadarn.

Rhoddodd Dad y cwpan i Mam a daeth hi mewn a rhoi'r siocled poeth ar y bwrdd wrth y gwely. O'dd stêm yn codi o'r cwpan.

'Ma 'da Dad rwbeth i'w ddweud... Dad...'

'Soriiiiiiiiiiiiiii,' medde Dad.

O'dd Dad yn 'gneud ati'. Chwarddodd Cari. O'dd Dad yn ddwl fel ci mewn gwres.

'Cari, o's 'da ti rwbeth i weud wrth Dad?'

'Sori,' medde hi'n siort.

Eisteddodd Mam ar y gwely. Chwythodd Cari ar y siocled poeth. O'dd hi'n teimlo'n well nawr. O'dd gweld Mam a Dad wrth y drws a theimlo Mam ar y gwely yn ei hatgoffa hi o amser stori a'r blaidd mawr drwg. Chwythodd eto. Hi o'dd y blaidd yn chwythu tŷ y tri mochyn bach.

'Falle bydde Jo yn gallu dod draw i swper,' medde Mam.

'Un cam ar y tro, ia?' medde Dad.

ELEN

'Ti 'di meddwl am drio dod i'w nabod e?'

'Ddim hyn eto, Elen...'

'Ystyried, 'na i gyd.'

'Be t'isio neud? Ei wahodd o draw am ginio dydd Sul? Iddo gael ei draed dan bwr'?'

'Ie, falle.'

'A mân siarad tra'i fod o'n gneud llygaid llo bach ar 'y merch i?'

Ochneidiodd Elen. Ceisiodd feddwl am ffordd arall o ddechrau'r drafodaeth.

'Falle mai 'na beth ma hi moyn... dod i'w nabod e'n well... dechre perthynas...?'

'Paid, wir dduw.'

'Dim babi yw hi.'

'Dwi'n gwbod hynny, tydw.'

Cododd Gwyn a rhoi ei freichiau amdani.

'Ma hi'n tyfu lan. Ma hi moyn bod yn fwy annibynnol. Falle fydd ganddi fflat ei hunan rhyw ddiwrnod.'

'Sdim angen. Geith hi aros fan hyn am byth.'

'Os mai dyna ma hi isie. Ond beth os yw hi moyn

mwy? Ei chartre ei hunan? Perthynas... teulu... plant...?'

'Stop, 'ŵan.'

'Siŵr fyddet ti'n daid gwych. Yn llawn sbort.'

'Na!... Ti 'di siarad â hi am y petha 'ma, do?'

'Pa bethe?'

''Sti...'

'Rhyw?'

'Ia, os lici di.'

Chwarddodd Elen ar ei letchwithdod. Yna arhosodd yn dawel.

'Neith hi'm siarad efo fi am y petha yma, na neith... a bai pwy 'di hynny?'

Roedd Elen yn derbyn y feirniadaeth honno.

'Glywes i bod Hanna'n caru...'

'Wela i...' A chyda hynny, roedd Gwyn yn meddwl ei fod yn gwybod y cyfan.

'Wna i awgrymu bod Jo yn dod i swper, 'te.'

'Sgen i ddewis?'

CARI

'Helô?'

Llais Hanna. Hanna! Ti 'di ateb!

'Helô… Cari sy 'ma…'

Aeth y llais yn dawel. Pam o'dd Hanna'n dawel nawr? Edrychodd Cari ar y ffôn. O'dd Hanna wedi mynd.

Triodd Cari eto. Gwrandawodd ar y ffôn yn canu.

Triodd hi eto. Gwrandawodd ar ganu'r ffôn.

'Helô?' Llais Hanna!

'Helô. Beth ti'n neud?' O'dd Hanna wedi ateb y ffôn!

'Dim byd. Ond fi'n fisi. Ti'n ffono fi trw'r amser. Paid ffono fi. Ocê?'

Pam? Edrychodd Cari ar y ffôn. Gwelodd enw Jo. Ffonodd hi Jo.

'Helô?'

'Helô. Beth ti'n neud?' gofynnodd Cari.

'Cari! Ti sy 'na. Helô, Cari! Sut wyt ti?'

O'dd llais hapus gan Jo. Gwenodd Cari.

ELEN

Roedd Ros wedi gweld Cari yn y dref.

'Mae 'di tyfu. Fydden i ddim wedi ei nabod hi.'

Ac eto roedd hi wedi ei nabod hi. Roedd yna rywbeth am Cari nad oedd yn newid o gwbwl gyda threigl y blynyddoedd.

'Ma hi'n un deg chwech.'

'Un deg chwech! Ma'i fel ddoe, on'd yw hi?'

Nag yw, mae hi fel un mlynedd ar bymtheg hir a chaled. Pam ti'n meddwl bod yna gleisiau duon o dan fy llygaid, a 'mhwysau gwaed i mor uchel? Cyd-weithwyr oedd Elen a Ros yn hytrach na ffrindiau mynwesol. Roedden nhw'n gweithio yn yr un adeilad ond ddim yn rhannu stafell a phrin yn cael amser gan Gavin a'i dargedau i gnoi cil. Faint oedd Ros yn ei wybod am y pwysau oedd ar Elen i geisio arbed arian i'r cwmni?

'Lyfli ei gweld hi gyda'i ffrindie.'

'Ffrindie?'

Roedd Elen fel ci ar ôl cwningen, yn synhwyro yn syth i ba gyfeiriad roedd hon yn mynd. Newidiodd yr olwg ar wyneb Ros. Sobrodd. Fe wnaeth stumiau mawr fel petai hi newydd sylweddoli iddi roi ei thraed yn y caca, ond doedd Elen ddim yn credu yn y ddrama ffug honno am funud.

'Gymres i mai ffrindie o'n nhw. Ond, na, mae e'n hŷn na hi, on'd yw e? Tipyn yn hŷn.'

'Pwy?'

Roedd Ros yn meddwl nawr, yn ystyried y cwestiwn o ddifri.

'Sai'n gwbod 'i enw fe. Fi'n nabod ei wyneb e. Ma fe'n gweitho yn dre… Odi fe? Nag yw, 'chan! Wy'n cofio ble ma fe'n gweitho nawr – yn y caffi ar y top 'na, yn Consti. Fe sy'n gweini'r hufen iâ. Fuon ni'n aros am sbel. Mae'n cymryd bach o amser iddo fe, druan. Ond dda'th e i ben â hi, hyd yn oed ag un llaw. Fi'n cofio meddwl – sdim trw'r dydd 'da fi, bach. 'Na fe, dim ei fai e yw e, sbo – ei fod e fel ma fe – sai'n bod yn gas. Roies i £10 iddo fe am ddau hufen iâ a cha'l llond llaw o geinioge yn newid. O'n i'n meddwl ei fod e wedi neud camgymeriad. Ond dyna bris hufen iâ nawr, ma'n debyg. Argyfwng coste byw!'

Roedd Elen yn tasgu nawr at agwedd hon. Sut allai hi fychanu Jo trwy gymryd arni ei bod hi'n cydymdeimlo?

'Ble welest ti nhw?' Triodd Elen swnio mor ddidaro â phosib, ond yn amlwg doedd ei hymdrech ddim yn ddigon da.

'Gobeithio 'mod i heb roi 'nhro'd ynddi!' Roedd yna

fflach yn llygaid y ddynes arall, rhywbeth yn y ffordd yr estynnodd ei llaw, yn rhy gyflym o lawer, fel ei bod bron yn ei chyffwrdd hi – neidr yn saethu ei thafod allan.

'Dim o gwbwl.' Triodd Elen fod mor ddigyffro â phosib. Teimlai gynnwrf yn ei hymysgaroedd.

Synhwyrodd Ros ei hanniddigrwydd. Cymerodd sawl cam yn ôl yn ei stori. Roedd wrth ei bodd ei bod wedi cynhyrfu ei chyd-weithwraig.

'Falle mai fi sy 'di neud camgymeriad. Falle mai rhywun arall o'dd gyda hi. Dim byd i boeni yn ei gylch, dwi'n siŵr.'

A chyda hynny, roedd Ros wedi ei ddweud yn blwmp ac yn blaen – roedd merch Elen wedi cael ei gweld yn y dref gyda bachgen hŷn na hi ac roedd hi'n amlwg i bawb eu bod nhw'n fwy na ffrindiau. Roedd angen i Elen dynnu ei bys mas.

CARI

'Embarasing.'

'Dy dad, odi, mae e,' medde Mam.

Wps, do'dd Cari ddim wedi bwriadu gweud e mas yn uchel.

'O'n i ddim wedi bwriadu gweud e mas yn uchel!'

'Beth sy mlaen fan hyn, 'ta?' heriodd Dad yn ysgafn. O'dd e'n dawnsio i Candelas ar Radio Cymru. Dawnsio Dad.

'Miss Crumble,' medde Cari.

'Sut fath o grymbl? Crymbl afal? Mwyar duon…?'

'Dad.'

'Gwyn.'

'*Sexed*,' medde Cari.

'Be?'

'Secs Ed.' Triodd Cari eto a baglu dros ei geirie.

'Addysg rhyw,' medde Mam gan edrych ar Dad.

O'dd pawb yn chwerthin pan o'dd Miss Crumble yn siarad am 'Sex Ed'. Do'dd neb yn gwrando. Dim diddordeb. O'dd diddordeb mawr gan Mam. Do'dd hi ddim yn edrych ar sgrin y cyfrifiadur nawr.

'Chi'n siarad am fechgyn a merched a hunaniaeth rhywedd?' gofynnodd hi.

'Ie... odyn,' atebodd Cari. Cofiodd mewn fflach. 'O'dd hi 'di gofyn i fi: "Cari, ti'n gwbod beth yw sboner a wejen?"!'

'Gofyn i ti!' O'dd Dad 'di ca'l sioc.

'Beth wedest ti?' holodd Mam.

'Ie... odw. Wedes i – ma Hanna a Noa yn sboner a wejen.'

'Wejen a sboner,' medde Mam.

Chwarddodd Cari eto. O'dd siarad fel hyn wastad yn neud iddi chwerthin. O'dd hi ffaelu helpu ei hun. O'dd pawb 'run peth yn y dosbarth Sex Ed. Pawb yn chwerthin.

'Fi'n credu gafodd Miss Crumble sioc bo' sboner gyda Hanna.'

'Gafodd Hanna sioc hefyd, a tithe 'di rhannu'r newyddion gyda Miss Crumble a'r dosbarth i gyd.'

'Ti'n siŵr mai Miss Crumble ydy'i henw hi?'

'Odw, Dad!'

'Beth ma cariadon yn neud, 'te, Cari?' gofynnodd Mam. Do'dd hi dal ddim yn edrych ar y sgrin.

Edrychodd Cari ar Dad ac ar Mam. Do'dd dim ateb gan Cari.

'Odyn nhw'n cwtsio?'

'Odyn.'

'Odyn nhw'n cusanu?'

'Odyn.'

'Yw'r cwtsio a'r cusanu yn wahanol i gwtsio a chusanu ffrind?'

'Odi.'

'Ma cariad yn emosiwn cymhleth iawn,' medde Dad.

'Ti'n iawn,' cytunodd Mam. 'Gall rhywun weud eu bod nhw'n eich caru chi ond ymddwyn mewn ffordd wahanol.'

Edrychodd Mam a Dad ar ei gilydd.

'Aw,' medde Dad, fel tase Bow wedi ei frathu.

'Beth sy'n wahanol am ferched a bechgyn?' gofynnodd Mam i Cari.

Edrychodd Cari i fyw llygaid Mam. Heb weud gair, pwyntiodd at ei chorff ei hunan, rhwng ei choese, at un fron, yna'r llall. Nodiodd Mam.

'Beth yw rhyw?' gofynnodd Mam.

'O!' atebodd Cari. 'So ni 'di neud lot o hwnnw 'to.'

Tro Dad a Mam o'dd chwerthin nawr. O'dd e'n ddoniol? Do'dd Cari ddim yn siŵr. Ond o'dd Cari'n hapus. Yn ôl Dad, o'dd Mam wedi bod yn rhy fisi'n cyfri'r ceinioge i wenu yn ddiweddar.

ELEN

'Weles i hi heddi, y ferch newydd. Morgan, ife? Roedd hi i weld yn hapus iawn yn y caffi.' Ceisiodd Elen fod mor ddidaro ag y gallai, yn ansicr beth fyddai ymateb Cari.

'Ar Consti?'

'Ie, ar Consti. O'dd hi'n ca'l hufen iâ mawr iawn 'da dy ffrind di. Beth yw ei enw fe 'to?' gofynnodd Elen yn gelwyddog.

'Jo,' meddai Cari, gan wenu wrth ddweud ei enw.

'Ie, Jo, 'na ti.'

Roedd Cari'n syllu ar ei ffôn. Fe allai dwyllo rhai i feddwl ei bod hi'n sgrolio trwy ei negeseuon WhatsApp, yn eu darllen yn gyflym. Ond roedd Elen yn gwybod y gwir. Fe fyddai Cari yn adnabod ambell air ar y gorau, ond fyddai hi ddim yn gallu rhoi trefn ar lythrennau er mwyn darllen geiriau newydd. Chwarae teg iddi, roedd hi'n ddewin am ddynwared plant eraill yn darllen.

'Dwi'n credu bod Jo wedi rhoi mwy nag un llwyaid o hufen iâ i Morgan,' meddai Elen yn gellweirus.

'Pam?'

'Sai'n gwbod. Ond o'dd mynydd o hufen iâ ar y côn yna. A Flake mawr a sbrincls.'

Rhoddodd Cari y gorau i edrych ar ei ffôn. Clywai Elen dwrw'r gwynt yn y cefndir. Cymerodd gip i weld a oedd hi'n bwrw a sylwi bod y llwybr tu fas i ffenest y gegin yn loyw gan law. Aeth Elen yn ei blaen, a gwth o wynt yn taro'r gwydr wrth iddi wneud.

'O'dd y ddau 'nyn nhw'n ca'l y sbort ryfedda, chwerthin mowr... Ble ti'n mynd, Cari?'

'Lan stâr.'

Roedd Cari wedi mynd o'i chlyw cyn bod angen i'w mam gyboli rhagor o gelwydd. Anadlodd Elen yn ddwfn, yn flin gyda hi ei hun am fradychu ei merch cyn iddyn nhw hwylio'r don gyntaf.

CARI

'Fi 'di ca'l bach o *bad day* gyda ffrindie fi.'

'O, na. Diwrnod gwael? Beth sy 'di digwydd, bach?'

'Bach o *bad day*.'

O'dd Cari wedi ffono Mam ar FaceTime. O'dd hi'n hoffi FaceTime. O'dd hi'n gallu clywed Mam ac o'dd hi'n gallu gweld Mam er bod Mam yn y swyddfa gartre a Cari yn y parc.

'Beth sy'n bod? Galli di weud wrth Mam.'

'Ti'n gwbod ni'n mynd i dre fory...?'

'Ie, odw...'

'So ni'n mynd nawr.'

'Pam?'

'Hanna yn gweud bo' fi 'di gwahodd 'yn hunan.'

'Dyw hynny ddim yn deg.'

'Na. Dyw hynny ddim yn deg.'

Ddwedodd Mam ddim byd am damed bach.

'Mam?'

'Ti isie lifft?' gofynnodd. O'dd Mam yn swno'n drist. O'dd hi'n cyfri'r ceinioge eto?

'Na... A sdim arian 'da fi.'

'Beth ti'n mynd i neud nawr, 'te?'

'Alli di ofyn i Dad ddod ag arian i fi?'

'Ti moyn i Dad ddreifo draw i Lidl i roi arian i ti? Wedyn dreifo adre hebddot ti?'

'Ie. Odw. Fi mond isie un peth o'r siop fara. Alli di weud wrth Dad? Ta-ra.'

ELEN

'Ti'n lwcus. Ma'n amlwg bod anghenion ganddi,' meddai Ros wrthi un diwrnod. Doedd hi ddim wedi ei ddweud mewn ffordd haerllug. Cafodd Elen gymaint o sioc, doedd hi ddim wedi ei holi ymhellach. Wedi mynd i'r swyddfa i brintio'r ffigyrau diweddaraf oedd Elen, er ei bod hi bron yn amhosib rhoi trefn ar y rheini â'r farchnad mor ansefydlog. Daeth oddi yno wedi cael ei chwipio gan dywod garw tafod Ros.

Ers clywed y sylw, roedd wedi drysu ei hun yn lân yn ceisio dyfalu beth oedd Ros yn ei feddwl wrth hynny. Yr un hen stori oedd trywydd bywyd Elen. Pan fyddai rhywun yn gofyn rhywbeth annisgwyl iddi, fyddai hi ddim yn gwybod sut i ymateb. Ei hymateb fyddai peidio ymateb, bod yn ddywedwst yn ei diffyg hyder. Ond wedyn fe fyddai'r cwestiwn yn troi a throi yn ei phen. Yn ei meddyliau fe fyddai'n ateb. Yn holi, 'Beth wyt ti'n feddwl wrth hynny? Beth yn benodol am ymddangosiad fy merch sy'n ei wneud *mor* amlwg bod ganddi anghenion – a hynny heb iddi agor ei cheg, heb iddi ddweud yr un gair?'

Doedd Ros ddim wedi ei ddweud yn gas, ddim wedi ei ddweud er mwyn ei brifo. Ond roedd wedi plannu'r syniad bod rhywbeth yn anarferol am sut roedd ei merch yn edrych. Rhywbeth oedd yn tynnu sylw pobol eraill at y ffaith bod yna rywbeth yn wahanol amdani, rhyw ddiffyg. Rhywbeth gwahanol am ei gwedd, rhyw drymder yn ei symudiadau. Hyd yn oed os gallai Elen warchod ei merch rhag y byd, allai hi wneud dim i'w diogelu rhag y rhagfarnau.

Roedd wedi holi ei mam beth oedd e am ymddangosiad Cari oedd yn datguddio ei gwendid meddyliol. Ond os oedd ganddi ateb, doedd hi ddim yn ddigon dewr i'w gynnig.

'Ti'n poeni gormod,' meddai wrth iddyn nhw gerdded ar hyd y prom, Elen ysgafndroed yn gorfod arafu bob hyn a hyn i'w mam. Y bwriad oedd tawelu'r cynnwrf ynddi, ceisiodd Elen feddwl yn garedig am sylw ei mam, ond fe gafodd yr effaith anghywir arni yn ei thymer ddrwg a theimlodd ymchwydd y tonnau y tu mewn iddi.

CARI

'Mam, ti'n gweitho?'

'Odw. Sori, cariad. Ma Gavin 'di gofyn i fi ddarllen llythyr. Dwi ddim isie ei ddarllen e, ond ma'n rhaid i fi.'

Ai dyma o'dd gwaith Mam? O'dd e'n swno'n ddiflas iawn.

'Dad, ti'n gweitho heddi?'

'Yndw, gin i gyfarfod tîm yn y munud.'

Do'dd Dad ddim yn rheolwr tîm pêl-dro'd Aberystwyth. O'dd Dad yn gweud y bydde fe'n well na rheolwr tîm Aberystwyth. Do'dd dim gêm bêl-dro'd heddi.

'Be sy, Elen?'

'Y toriade... Ma'n nhw 'di penderfynu diswyddo Ros.'

'Damia... Yli, ddim dy fai di 'di o.'

'Nage fe? Fi luniodd yr adroddiad.'

'Dim ti greodd y chwalfa economaidd.'

Do'dd Cari ddim yn gwbod beth i neud.

'Sai'n gwbod beth i neud, Mam!'

O'dd Bow yn syllu arni hi. O'dd Bow yn syllu arni'n drist. Pam o'dd pawb yn drist?

'Ti'n gwbod beth i neud, Bow?'

Do'n nhw ddim wedi bod lan i Consti ers oes. Hi a Bow. O'dd Bow yn drist eu bod nhw heb fynd i Consti? O'dd Jo wedi anfon llun ati. O'dd e'n gwenu'n hapus. Do'dd Cari ddim wedi ateb. O'dd Jo wedi anfon llun arall rai dyddie yn ddiweddarach. O'dd e'n edrych yn drist.

'Ti isie mynd am dro, Bow? Bow…? Ti isie mynd am dro, on'd wyt ti, Bow? Ti heb ga'l trît gan Nadine ers sbel, nag wyt ti? Dere, Bow, awn ni am dro.'

Dechreuodd Bow gyfarth yn wyllt. Cyffrous o'dd e.

'Mam, fi'n mynd i Consti gyda Bow!' galwodd Cari dros y cyfarth cras. Caeodd y drws y tu ôl iddyn nhw cyn clywed ateb Mam. O'dd y ffôn ganddi. O'dd y ffôn yn ei phoced hi.

Do'dd hi ddim yn ddiwrnod am hufen iâ ar Consti. O'dd y gwynt yn chwythu dail a sbwriel ar hyd y clogwyn a'r dre'n llwyd oddi tani. Welodd hi Jo.

'Jo!' galwodd Cari.

O'dd Jo yn hapus i weld Bow. O'dd e'n gwenu. O'dd ei lygaid e'n loyw. Do'dd hi heb weld y llygaid gloyw ers dyddie. Fe alwodd e Cari draw at y ciosg gyda'i law chwith. Do'dd dim llawer o bobol o gwmpas. Dyn a menyw mewn cotie a hetie yn eistedd ar y fainc. O'n nhw'n yfed coffi.

'Dwi ddim isie hufen iâ heddi,' medde Cari'n llon. 'Ma Morgan yn hoffi hufen iâ.'

Do'dd Cari ddim wedi bwriadu gweud hynny'n uchel. Ond o'dd hi'n falch ei bod hi wedi ei weud. Crychodd Jo ei wyneb yn salw o hen.

'Ydy hi? A phwy yw Morgan?'

'Jo-o! Ti ddim yn gwbod pwy yw Morgan! Morgan yw'r ferch newydd... y ferch newydd sy'n gweitho ar Consti.'

'Oes yna ferch newydd yn gweithio ar Consti?'

'O's. Morgan!'

Daeth Nadine i'r golwg y tu ôl i Jo.

'Oes yna Morgan yn gweithio ar Consti?' gofynnodd Jo iddi hi.

'Nag oes,' atebodd Nadine. 'Ond ma digon o waith yma. Dere, Jo – *chop, chop!*'

'*Chop, chop?*' O'dd hynny'n ddoniol. Ond beth o'dd e'n feddwl?

'Siapa hi,' esboniodd Nadine.

Trodd Jo i fynd, ond aeth e ddim.

'So ni 'di gweld ti ers sbel, Cari. Ble ti 'di bod?' gofynnodd Nadine.

Meddyliodd Cari am stori Mam a Morgan a'r hufen iâ gafodd hi wrth Jo. O'dd Mam wedi drysu? Sdim ots, Mam. Ma'n iawn.

'Fi 'di bod yn fisi, ond ma mwy o amser 'da fi nawr 'to,' medde Cari.

'Da iawn,' gwenodd Nadine.

'Da iawn,' medde Jo hefyd. 'Dwi 'di gweld isie ti, Cari.'

'A Bow – ni 'di gweld isie Bow,' medde Nadine. O'dd hi'n siarad yn gyflym. *Chop, chop!* 'Dere 'da fi, Cari. Dwi isie gofyn rhwbeth i ti. Ma 'da fi drît bach i Bow. Aros di fan hyn, Jo. Rho sychad iawn i'r cownter.'

ELEN

'Mae gan Cari newyddion i ni.' Gwyn oedd y cyntaf i glywed pan gafodd eu merch y gwaith yn wreiddiol ar ddechrau'r haf, cofiodd Elen.

'Beth?' gofynnodd i Gwyn.

'Na, na. Mi geith Cari ddeud 'that ti ei hun.' Edrychai ei gŵr ar ben ei ddigon.

'Fi 'di ca'l gwaith,' meddai Cari.

'Gwaith? Ble?'

'Ar Consti.'

'Shwt?' Teimlodd Elen ei hun yn cyffroi.

'Ofynnes i pwy o'dd y rheolwr. Nadine yw'r rheolwr. Ofynnes i o'dd gwaith 'da hi i fi.'

'Da, 'de? Deud wrth Mam pryd ti'n cychwyn…'

'Dydd Sadwrn. Dim dydd Sadwrn hyn.'

'Na, mae'n ddydd Sadwrn heddiw. Braidd yn hwyr i ddechrau rŵan.'

'Ond ma'n rhaid i ti ffono Nadine gynta, Mam. Ma'i rhif hi ar y papur 'ma. Cofia ffono'r rhif, Mam.'

'Mynd lan i Consti am hufen iâ a dod 'nôl gyda gwaith – wel!' Teimlodd Elen ei chalon yn chwyddo.

'Yr Apprentice nesa! Fysa Lord Sugar yn prowd ohonot ti. Be ti'n feddwl, Mam?'

'Beth yw Lord Sugar?' gofynnodd Cari.

'Yn union,' cytunodd Gwyn.

Roedd Cari wedi dangos ei bod yn gallu ymdopi yn well na'r disgwyl ar fwy nag un achlysur. Wnaeth hi ddim cropian cyn iddi ddysgu sut i sefyll ond fe lwyddodd i symud yn syth o eistedd i gerdded yn drwsgl. Cofiai Elen feddwl na fyddai hi fyth yn gallu reidio beic, ond er mor ansad oedd hi ar ei thraed roedd hi'n gallu cadw ei chydbwysedd ar ddwy olwyn gyda'r gorau.

Am flynyddoedd fe fu bwganod yn y dyfodol. Gyda'r mwyaf dychrynllyd oedd meddwl am Cari'n ymdopi gydag amser y mis. A hithau'n un yr oedd y pigiad lleiaf yn ei phoeni, sut y byddai'n ymateb i golli ei gwaed ei hun? A beth am yr ochr ymarferol? Penderfynu pryd oedd angen newid y pad? 'Cadw eich hun yn "lân".' Roedd Elen yn casáu yr hen bregeth hon, y syniad bod menyw oedd yn gwaedu yn 'amhur'. Ond yn wahanol i'w mam, doedd Cari ddim fel petai'n cael ei blino gan annifyrrwch yn y bol. Roedd Cari fel petai'n hoffi'r mislif mawreddog, ei chyfle i fod yr un peth â merched eraill ei hoed.

Oedd, roedd Cari yn maeddu ofnau Elen bob tro, meddyliodd. Ai dyna oedd yn digwydd nawr? Oedd y pendroni mawr am y berthynas yn arwydd o'r un peth? Ai ofnau Elen a Gwyn oedd yn amlygu eu hunain yn hytrach na realiti'r sefyllfa? Ai'r llinyn storïol roedd Elen wedi ei weu iddi hi a'i theulu ydoedd, yn hytrach na'r hyn oedd yn digwydd mewn gwirionedd? Oedd Elen yn ceisio arafu camau Cari wrth iddi drawsnewid o ferch i fenyw am ei bod eisiau cadw gafael ar ei chroten fach, neu am ei bod yn dymuno cadw gafael ar ei hieuenctid ei hun?

Roedd Cari yn dod o hyd i ffyrdd i oresgyn problemau, i dawelu'r storm. Fe aeth Elen a Gwyn trwy gyfnod o siarad Saesneg o'i blaen hi, a hynny fel eu bod nhw'n gallu cyfathrebu â'i gilydd am faterion i oedolion heb i Cari ddeall beth roedden nhw'n ei ddweud. Yna daeth y diwrnod pan oedd Elen wedi arthio ar Gwyn, oedd yn ymddwyn fel petai e'n drwm ei glyw:

'I said, where are the bloody car keys?'

Ac roedd Cari wedi ateb:

'The bloody keys are in the bowlen ffrwythe.'

Roedd ganddi ei thalentau ac roedd y gallu i siarad yn ddwyieithog yn un ohonyn nhw. Fe all person newid neu aros yr un peth, cofiodd eiriau Scott Fitzgerald, awdur a lwyddodd er gwaethaf ei ddyslecsia. Roedd Cari'n synnu ei rhieni'n barhaus. Efallai ei bod hi'n bryd rhoi allwedd ei bywyd yn ei dwylo hi, gadael iddi deimlo'r byd yn ei ffordd ei hun a derbyn y byddai, wrth wneud hynny, yn cael ei brifo o dro i dro.

CARI

'Y cwestiwn yw: odi hi'n mynd i stopo bwrw glaw?'

'Dyna be ydy cwestiwn,' medde Dad.

'Fydd Bow ddim isie mynd am dro yn y glaw.'

'Na, dydy Bow ddim yn hoffi glaw, nachdi, Cari.'

'Fi'n mynd i roi deg munud arall i'r tywydd...'

Ochneidiodd Cari yn hir. Trw'r ffenest gwelodd yr ardd yn llun smotiog. O'dd hi'n bwrw glaw yn sobor iawn. Yna cofiodd am Jo. Fe allai hi weld ei lun e'n glir yn ei phen. Do'dd hi ddim wedi ei weld am sbel hir achos beth wedodd Mam am Morgan. Do'dd Cari ddim yn hoffi meddwl am Jo yn neud hufen iâ i Morgan. Ond do'dd neb o'r enw Morgan yn Consti. Ysbryd o'dd hi. Ac o'dd Cari wedi addo i Nadine a Jo y bydde hi'n mynd lan am dro i'w gweld nhw yn fwy amal unweth eto. Trodd at Mam i weud hyn i gyd wrthi, ond do'dd Mam ddim yna. Trodd at Dad yn lle hynny.

'Ti'n gwbod beth, Dad? Fi'n mynd.'

ELEN

'Fi 'di ca'l llond bola.'

'Wel, wyt. Mae'n bryd i ni i gyd gael sbelan fach. Dim ond dy fam a'r prif weinidog sy'n gweithio dros hannar tymor.'

'Pwy yw'r prif weinidog?'

'Cwestiwn da. Mae gynnon ni un newydd.'

'Eto?'

'Ia, eto! Dyna'n union 'dan ni i gyd yn feddwl. Da 'wan, Cari.'

Bu Elen yn hanner gwrando ar sgwrs ei gŵr a'i merch, yn hanner drafftio neges bersonol i Ros, yn dymuno'n dda iddi. Fedrai hi ddim helpu ei hun nawr. Gwelodd gyfle i danlinellu'r neges iawn. Rhoddodd ei phig i mewn yn lle gadael i Gwyn roi trefn ar y mwdwl.

'Fydde'r prif weinidog ddim yn ei swydd petai e heb fynd i'r ysgol,' meddai gan edrych ar Cari.

'A phetai o ddim mor freintiedig.'

'Sai'n mynd 'nôl i'r ysgol.'

'Dim am naw diwrnod, nag wyt.'

'Dim o gwbwl.'

Oedodd Elen. Oedd hi o ddifri? Gwyliodd hi'n eistedd ar y soffa fach, yr un ro'n nhw wedi ei hachub o garej un o'r cymdogion. Roedd hi wrthi'n ceisio datod ei lasys. Roedd hi wedi llwyddo i dynnu un treinyr yn gymharol ddidrafferth ond roedd cwlwm yn lasyn y llall roedd hi'n methu ei ddatod. Gwisgai ei chot o hyd.

'O's rhwbeth yn bod? Rhwbeth 'di digwydd yn yr ysgol?' Oedd yna broblem fach y gallai Elen ei dad-wneud, fel cwlwm mewn llinyn, er mwyn i bethau ddychwelyd i lif naturiol bywyd?

'Na.' Swniai Cari'n ddidaro. Ond roedd hi'n rhwystredig gyda sefyllfa'r cwlwm.

'Cari, ti'n gwbod y galli di weud unrhyw beth wrth Mam,' troediodd Elen yn ofalus.

'Na, Mam.' Yn fwy cadarn y tro hwn. Po fwyaf yr oedd Cari yn tynnu ar y llinyn, mwyaf yr oedd y cwlwm yn tynhau.

'Pam so ti isie mynd 'nôl i'r ysgol, 'te?'

'Fi 'di ca'l job. Yn Consti.'

'Gwaith ar benwythnos... a gwyliau'r haf... Dim gwaith llawn-amser. Wyt ti'n deall beth yw gwaith llawn-amser?'

Anwybyddodd Cari ei mam, fel y byddai hi'n ei wneud bob tro pan fyddai'n clywed rhywbeth oedd ddim yn ei phlesio. Gollyngodd y lasyn a thynnu'r treinyr oddi ar ei throed gyda'i holl nerth. Hedfanodd i ffwrdd. Cafodd Bow ofn a sboncio oddi yno gydag ielp.

'Ma Nadine yn mynd i roi fi ar y rota. Fyddwn ni i gyd ar y rota wedyn. Ceri ac Ella...'

'A Jo...' torrodd Elen ar ei thraws a difaru'n syth nad oedd wedi llyncu ei geiriau.

'Dim dros fy nghrogi,' meddai Gwyn.

'Cadwch hi ym myd addysg cyn hired ag y gallwch chi.' Dyna roedd pennaeth Uned yr ysgol wedi ei ddweud. Eu cynghori nhw oedd hi, yn hytrach na datgan wrthyn nhw beth i'w wneud. Ond roedd e'n gwneud synnwyr i gadw Cari yn yr ysgol, yn y Chweched, er na fyddai hi'n astudio Lefel A fel y lleill. Y gobaith oedd y byddai hi'n gallu symud ymlaen i'r coleg un dydd. Roedd y trefniant yn rhoi amser iddyn nhw i gyd feddwl am y dyfodol.

Arbedodd Elen y neges i Ros. Aeth at yr esgid a'i chodi o'r llawr. Eisteddodd nesaf at ei merch a rhoi cynnig ar lacio'r cwlwm.

'Ai Hanna sy 'di ypseto ti eto?'

'Dyw Hanna ddim yn siarad â fi.'

'Ddim yn siarad â ti o gwbwl?' holodd Elen yn dyner.

'Na.'

'Dyw hynny ddim yn deg arnot ti.'

'Nag yw.'

'Paid â'i hannog hi, Elen fach.'

Roedd y cwlwm yn dynn erbyn hyn. Defnyddiodd ei hewinedd i gydio yn y lasyn a phlycio.

'Gwranda ar Mam... Cari, gwranda... Ma'n rhaid i ti fynd i'r ysgol. Alli di ddim gorweddian ambytu yn ddiog yn gwylio YouTube am weddill dy o's.'

'Yn hollol,' ameniodd Gwyn.

'Fi'n mynd i ga'l fflat fy hunan.' Syllai Cari o'i blaen. Doedd hi ddim yn edrych ar ei thad.

'Efo be?' gofynnodd e.

Datododd Elen y cwlwm ar ôl ychydig o chwarae.

'Un diwrnod. Yn y dyfodol. Ond ti'n rhy ifanc ar hyn o bryd,' cysurodd Elen hi. Rhoddodd yr esgid i Cari.

'Fy mywyd i yw e.' Llithrodd yr esgid o'i dwylo.

Ond doedd hynny ddim yn wir i gyd. Dyma fywyd Elen a Gwyn hefyd. Hi fach oedd eu stori nhw.

CARI

Mae Mam yn y tŷ.
Mae Dad yn y tŷ.
Mae Cari yn y tŷ.
Mae Bow yn y ci… yn y tŷ!

O'dd Cari'n ymarfer teipio ar y gliniadur. O'dd Cari'n dda am deipio.

Ydy Cari yn yr ysgol?
Na, dydy Cari ddim yn yr ysgol.

Ond o'dd Cari yn mynd i'r ysgol fory, medde Mam.
O'dd Cari wedi trio ffono Jo ar y ffôn bach. Do'dd dim signal. Aeth hi lan i Consti am dro. Do'dd Ella ddim yn gwbod ble o'dd Jo, na Ceri chwaith. Ond o'dd Nadine yn gwbod. O'dd Nadine yn gwbod popeth. O'dd Jo 'mewn cyfweliad'. O'dd hi'n fisi. Yn rhy fisi i esbonio beth o'dd hynny'n feddwl. Ond o'dd hi wedi addo rhoi neges i Jo yn gofyn iddo fe ffono Cari.

ELEN

Annwyl Miss Pugh,

Ysgrifennaf i fynegi fy siom ddirfawr...

'Be ti'n neud?' Camodd Gwyn i'r gegin, yn chwibanu'n hapus ac yn siglo ei gwpan te 'nôl a mlaen.

'Dim byd.' Caeodd Elen ei gliniadur, rhag ofn iddo hwpo'i drwyn i mewn i'w busnes hi wrth estyn y llaeth o'r ffrij.

'Golwg ddifrifol arnat ti.' Rhoddodd y bag te yn y cwpan a pharhau i wneud paned, yn swnllyd. Chynigiodd e ddim un iddi hi. Unwaith iddo fynd aeth Elen yn ei blaen.

... i fynegi fy siom ddirfawr am y ffordd mae fy merch, Cari Gwyn, Blwyddyn 12, yn cael ei thrin yn yr ysgol. Fel rydych yn ymwybodol, mae'r Uned Anghenion Addysg Arbennig yn un fach ac felly ni allaf ddechrau deall, fel rhiant cydwybodol, pam na ellir...

'Bisgit.'

Daeth Gwyn yn ei ôl a chwilota yn y cwpwrdd bach uwchben y ffwrn lle roedd e'n cadw casgliad cyfrin o bethau da rhag Cari.

'Neu fanana… llond dwrn o gnau?' cynigiodd Elen.

'Bisgit.'

Aeth Gwyn oddi yno'n hapus.

… pam na ellir annog y plant sy'n mynychu'r Uned i ymddwyn gyda pharch tuag at ei gilydd. Nid dyma'r tro cyntaf i ni dynnu eich sylw at y mater helbulus hwn ond ymddengys nad ydych wedi medru datrys yr anghydfod anffortunus. Os na fydd yna ben draw i'r gynnen hon, yna fydd dim dewis gennym ond anrhydeddu dymuniadau ein merch a chaniatáu iddi adael yr ysgol.

Yn gywir,

Gwyn ac Elen Roberts

Dileu.

Elen a Gwyn Roberts

Anfon.

Cododd Elen a mynd lan staer i chwilio am ddillad i'w golchi. Ar ei ffordd pasiodd Gwyn yn gwrando ar lais ar LBC Radio yn ymhyfrydu yn ei farn ei hun. Llwythodd y peiriant a mynd 'nôl at ei sgrin.

Roedd sawl neges newydd ac un oddi wrth yr ysgol.

Mae gen i wers nawr. Ffonia i chi wedyn.

Gwenno Pugh

★

'Sut oedd ysgol?'

'Gwd.'

'Da iawn.'

Roedd 'gwd' yn llawer gwell na llygaid llawn dagrau, gwefus grynedig a bygythiad na fyddai'n mynd i'r ysgol fyth eto. Agorodd Elen ei cheg yn flinedig. Doedd Ros heb ei hateb hi ac roedd hynny'n chwarae ar ei meddwl.

Rhoddodd Cari ei bag ysgol trwm yn glatsh ar y bwrdd a phrysuro i baratoi diod o Ribena iddi ei hun.

'Fues i gyda Zoe amser cinio.'

'Zoe?'

'Ffrind fi.'

'Ers pryd wyt ti a Zoe yn ffrindie?'

'Ers i Miss Pugh weud 'thon ni am fynd gyda'n gilydd amser egwyl.'

Oedd pethau mor syml â hynny? Doedd e ddim yn newydd i Elen, y stori yma am ffrind newydd, gan fod Miss Pugh eisoes wedi plannu'r hedyn hwnnw mewn ymgais i dawelu Elen dros y ffôn. Roedd yn rhyddhad i beidio â gorfod clywed llais dagreuol Cari yn adrodd stori ddigyfeiriad arall am ffrind ddi-hid fyddai'n corddi stumog Elen.

'Doedd Zoe ddim yn yr Ysgol Gymraeg 'da ti, oedd hi?'

'Na.'

'Un o ble yw hi, 'te?'

'Sai'n gwbod.'

'Byw yn dre?'

'Sai'n gwbod.'

'Odi hi'n dod i'r ysgol ar y bỳs?'

'Sai'n gwbod.'

Oedd, mi oedd hi'n dod i'r ysgol ar y bỳs oedd yr ateb cywir, gan ei bod hi'n byw yn Llanrhystud. Ffeithiau oedd eisoes yn hysbys i Elen ar ôl cael y manylion gan Miss Pugh. Ond roedd hi'n bwysig cymryd diddordeb yn ffrind newydd Cari, rhywbeth roedd Cari ei hun wedi anghofio ei wneud. Dyna pam roedd Elen wedi holi Miss Pugh am gyfenw Zoe hefyd ac, yn sgil hynny, wedi gallu chwilio amdani ar-lein a dod o hyd iddi ar Facebook yn pôsio i'r camera gydag agwedd.

'Beth fuoch chi'n siarad ambytu, 'te?'

'Ni'n mynd i'r dre rhywbryd.'

'Da iawn, Cari.' Roedd hyn yn newyddion da! Allai Elen ddim datrys pob problem ond o leiaf gallai ofalu am ei merch.

'Wel, cofia fydd rhaid bod yn barod i gyfaddawdu tro hyn...' meddai Elen.

'A-ha,' cytunodd Cari, gan lowcio'r ddiod felys.

'Ti'n deall beth ma hynny'n feddwl, Cari?... Cari?'

'Na.'

'Bod yn hapus i neud beth ma rhywun arall isie neud. Os yw... yyy...'

'Zoe.'

'... Zoe isie mynd am dro ar y prom, fyddi di'n mynd am dro ar y prom. Yn lle ffono Mam achos bod ti isie mynd i Poundland.'

'Fydda i ddim.'

Mor hawdd â hynny. Er i Cari ffonio Elen fwy nag unwaith, yn dweud ei bod hi am ddod adre am fod ei ffrindiau ddim eisiau mynd i brynu losin am bunt yr un peth â hi, teimlai Elen yn fwy ffyddiog y tro hwn. Roedd hi wedi gwneud y peth iawn yn cysylltu â'r ysgol. Doedd hi ddim yn beth hawdd i gwyno, pan oeddech chi'n gwybod bod amser ac adnoddau yn brin. Ond os na allai Cari sefyll lan drosti hi ei hun, yna roedd yn rhaid i Elen wneud hynny drosti, er ei fod yn groes i'r graen. Meddyliodd beth allai wâc rownd y dref i Cari olygu iddi hi, Elen – cyfle am sesiwn redeg ychwanegol efallai. Fe allai redeg 10K mewn awr. Gwenodd ar Cari.

'Falle fydd Liam yn dod,' gwenodd Cari yn ôl.

Diflannodd gwên Elen.

'Pwy yw Liam?'

'Sboner Zoe.'

Byddai'n rhaid i Elen gofio mynd â'r ffôn cyn rhedeg i unman felly.

CARI

'O's rhaid i ni fynd i nofio pnawn Sadwrn?' gofynnodd Cari yr wythnos ganlynol.

'Sdim rhaid… os wyt ti'n gweithio ar Consti.'

'Mae'n dawel ar Consti. Sdim gwaith 'da Nadine i fi. Ond ma Zoe'n mynd i'r dre.'

'Ti moyn mynd gyda hi?'

'Ie.'

'Odw,' cywirodd Mam hi.

'Odw.'

Aeth Cari lan y tu ôl i Mam wrth iddi eistedd o flaen y gliniadur. O'dd Mam yn hoffi cwmni Cari ar bnawn Sadwrn. Rhoddodd gwtsh mawr i Mam. Teimlai Cari ei chorff yn gadarn fel cawr. O'dd hi'n fwy na Mam?

'Iawn. Ond ti'n joio nofio fel arfer,' medde Mam.

'Mmmm.'

'Beth ti'n feddwl "mmmm"?'

'Dim rili.'

'Ti ddim yn joio nofio?'

'Ie… Odw… Nagw. Ga i fynd i'r dre?'

Gwenodd Mam, gwên fach. O'dd hi'n hapus dros Cari.

'Faint o'r gloch?' gofynnodd Mam.

'Ma Zoe yn dal y bỳs i'r dre erbyn un ar ddeg.'

'Fydd rhaid i ti fynd â dy ffôn a chadw mewn cysylltiad, 'te...'

Aeth Cari lan stâr i ffono Zoe, yn lle bod Mam yn ei chlywed hi.

ELEN

Roedd hi'n gyffro i gyd. Y perlau bach yn sgleinio wrth iddi estyn ei chot. Roedd wedi codi a bwydo'r cwningod bore 'ma heb i neb ofyn iddi. Roedd hi'n cwrdd â Zoe y tu fas i dafarn Wetherspoon am un ar ddeg. Byddai rhai oriau o ffysian a ffwdanu, yn ailadrodd y trefniadau cyn ei bod hi, mewn gwirionedd, yn amser i fynd. Cnodd Elen ei gwefus. Roedd y sefyllfa wedi gwaethygu ers iddi glywed am y trefniadau am y tro cyntaf. Roedd Zoe yn dod â Liam, ei sboner. Ac roedd Liam yn dod â Josh, ei ffrind.

'Pwy yw Josh?' gofynnodd Elen.

'Josh Allen.'

'Ddim fo sy'n chwarae i Gymru?' gofynnodd Gwyn, heb helpu'r sefyllfa. Gwyddai'n iawn mai *Joe* Allen oedd hwnnw.

Roedd Zoe yn iau na Cari, ond roedd y bechgyn flwyddyn yn hŷn. Y tro diwethaf i Zoe fynd i'r dref gyda nhw roedd y bois wedi bihafio fel plant bach, medde Cari, gan ailadrodd stori ei ffrind.

'Onestli, o'n nhw 'di llusgo Zoe yr holl ffordd i McDonald's...' giglodd Cari.

'Go brin y byddai angen dy lusgo di,' meddai Gwyn. 'Do's 'na'm rhwla arall i fynd yn dre?'

'Nag o's, Gwyn. Wy wedi gweud wrth Mam – ma hi i fod yn Gynghorydd Tre. Dyle'r ffaith fod dim byd i bobol ifanc wneud yn Aber fod yn flaenorieth.'

'A wedyn…' Anwybyddodd Cari nhw.

'… ar ôl llond bol o fwyd iach…' Roedd Gwyn yn ei hwyliau.

'… gorfon nhw gerdded yr holl ffordd 'nôl i'r dre i Zoe ddal y bỳs i Lanrhystud.'

Doedd y bechgyn heb 'lusgo' Zoe yn llythrennol. Ond roedd y syniad yn codi cryd ar Elen.

'O'n nhw 'di gofyn i Zoe dalu am McDonald's nhw,' rhannodd Cari.

'Diawliaid bach.'

'Dalodd hi?'

'Naddo.'

'Paid titha chwaith,' mynnodd Dad.

'Na.'

'Paid rhoi arian i neb – ti'n deall, Cari?' Roedd Elen yn anniddigo. Dwy ferch… dau fachgen… Beth fyddai Jo yn ei feddwl?

Roedd cerdded ar hyd strydoedd y dref yn un peth, roedd yna ddigon o bobol o gwmpas. Pobol fel Ros. Llygaid a chlustiau o fewn y gymuned yr oedd Elen yn sylweddoli nawr ei fod yn dda eu bod nhw'n bodoli.

Ond beth petai'r pedwarawd yn mynd i'r parc, neu i le llai cyhoeddus? Roedden nhw'n swnio fel criw digon bywiog. Roedd hi wedi bod yn bwrw'n go galed y bore hwnnw. Beth petai hynny'n esgus i chwilio am guddfan?

Eisteddodd Elen, llonyddu. Llonyddodd Cari hefyd.

'Felly, ma Zoe a Liam yn gariadon, odyn nhw? Beth yn gwmws ma hynny'n feddwl, 'te, Cari?'

'Sai'n gwbod.' Ciledrychodd ar ei thad, yn ansicr ynglŷn â thrafod hyn yn ei ŵydd.

'Odyn nhw'n dal dwylo?'

Dechreuodd Cari chwerthin. Oedd hyn yn sbort iddi hi?

'Wyt ti 'di'u gweld nhw'n dal dwylo?'

'Na.' Siglodd Cari ei phen yn chwareus.

Stopiodd Elen ei hun rhag gofyn y cwestiwn nesaf: beth fyddet ti'n ei wneud petai Josh yn cydio yn dy law di? Yn mynd amdani?

Torrodd y radio ar eu traws. *'Own it!'* Neges Stormzy. *'Girl, you just own it'* oedd y gri. Beth ddiawl oedd e'n ei wybod am fagu hyder mewn menywod? Sut oedd disgwyl iddyn nhw 'berchnogi'r byd' os oedd eu chwiorydd yn hel bwganod, yn llenwi eu meddyliau â lluniau dychrynllyd? Delweddau y gellid byw yn ddedwydd heb wybod dim amdanyn nhw.

Roedd y glaw wedi cilio a gwelodd Elen y dail yn

ailffurfio yn y golau. Yr anweledig yn dod i'r golwg unwaith eto. Ochneidiodd wrth feddwl am fynd allan i'r car.

'Joia,' meddai wrth ollwng Cari fach ger Wetherspoon, a 'bydda'n ofalus' yn bader yn ei phen.

CARI

'Mam! Ni 'di ca'l ein dal yn y glaw.'

O'dd Cari'n wlyb ond do'dd dim ots gyda hi. 'Ma'n iawn, Mam.' A Bow y ci? Wel, o'dd hynny'n beth arall.

'Dere, Bow! Dere mewn i'r tŷ!'

O'dd Bow yn socan. Do'dd Bow ddim yn lico'r glaw. Yn y bore, fydde fe'n pallu mynd mas drw'r drws os o'dd e'n meddwl ei bod hi'n bwrw. Hyd yn o'd os o'dd hi'n sych, a dim ond y dreif yn wlyb dan dra'd. O'dd e'n meddwl gyda'i bawenne?

'Ci sili! Pwy sy'n sili? Mam, ble ma'r tywel?'

Daeth Mam mewn i'r gegin. O'dd hi ar y ffôn.

'Fi ar y ffôn,' medde hi.

'Fi'n gwbod,' medde Cari.

Yna, welodd Mam Bow. Aeth hi trw'r to!

'Drycha golwg ti, Bow! Ma dy dra'd di'n fochedd! Fydd rhaid i fi fynd, Mam. Siarada i â ti 'to.'

'Helô, Mam-gu!' gwaeddodd Cari.

'Ma Mam-gu 'di mynd nawr.'

Aeth Mam i'r stafell olchi dillad i chwilo am dywel Bow.

'Fuoch chi i Consti?'

'Na, o'dd hi'n rhy wlyb.'

Edrychodd Mam ar Cari. Edrychodd Cari ar Bow.

'O'dd hynna'n syniad rili *thick*, on'd o'dd e, Bow.'

'Beth wedest ti?' Rhoddodd Mam y gore i stompio yn grac. O'dd hi'n dal y tywel erbyn hyn. Cipiodd Cari'r tywel a dechre sychu Bow.

'O'dd rhywun wedi dianc o'r harnes ar y ffordd i Consti ac yn pallu gadel i fi roi e'n ôl.'

'Beth oedd y gair yna...? Cari?'

'Sgiws mî, Bow! Beth wyt ti'n neud?'

O'dd Bow wedi gafel yn y tywel gyda'i geg. O'dd e'n tynnu arno – 'run peth ag o'dd e'n tynnu ar ei hoff degan, y neidr goch o'dd yn edrych fel draig. Fel tase fe mewn tîm tynnu rhaff.

'Y gair Saesneg yna... *thick*... ble glywest ti fe? O's rhywun yn defnyddio'r gair yna o dy fla'n di? Rhywun yn yr ysgol?'

'Na. Bow, gad fynd!'

O'dd Mam yn edrych arni. O'dd rhwbeth yn bod. Do'dd Cari ddim yn siŵr beth. Fydde Mam yn colli ei thymer weithie, dim gyda Cari, ond gyda phobol erill. Do'dd Cari ddim yn hoffi hynny. Os o'dd Mam yn gofyn cwestiwn caled iddi o'dd Cari'n rhoi'r un ateb bob tro – 'Na'. Driodd hi fe un tro. O'dd y gair bach wedi tawelu tymer Mam. Fel hud a lledrith! Mam yn hapus!

O'dd rhywun wedi galw Cari'n *thick*? Un o'r criw newydd?

Na.

'Fi'n gweud y gwir, Mam.'

Edrychodd Mam arni hi. Yna, aeth rhwbeth arall â'i sylw.

ELEN

Roedd gan Cari wendidau ond doedd dweud celwydd ddim yn eu plith.

'Ble ma'r newid?' gofynnodd Elen iddi.

Agorodd Cari ei dwrn. Roedd darnau arian ar gledr ei llaw.

'Roiais i bapur ugen punt i ti. Beth wyt ti 'di prynu?' cyffrôdd.

'Ribena. Yn Spar mawr,' atebodd Cari yn robotaidd.

'Dyw botel o Ribena ddim yn costio ugen punt, Cari. Dim hyd yn oed dan y Toris. Ti'n siŵr bod ti heb brynu rhwbeth arall?'

'Fi'n gweud y gwir.'

Doedd Elen ddim yn grac, roedd hi eisiau'r gwir, 'na i gyd. Ond roedd cais am y gwir yn ofyn mawr. Doedd Elen ddim yn siŵr a oedd hi'n dweud y gwir wrthi hi ei hun, yn enwedig wrthi hi ei hun.

'Wyt ti'n cofio'r person wnaeth werthu'r Ribena i ti? Dyn neu fenyw?'

'Dyn.'

'Fyddet ti'n gallu ei ddangos e i Mam?'

Lawr y brif stryd â nhw, gan anelu at y Spar mawr. Cerddai Elen a'i gwynt yn ei dwrn. Roedd hi'n tampan.

Ei chalon yn rasio, ei choesau wedi eu gyrru gan groesineb. Roedd hi'n falch o'r ymdrech i ddiwallu ychydig ar ei hegni.

Yn y siop, dangosodd Cari'r dyn iddi. Edrychai fel petai yn ei chwedegau o leiaf. Os felly, doedd e ddim wedi ymddeol – heb fedru ymddeol, efallai – roedd yn dal i weithio, yn dal i weini. Roedd e'n hir o gorff a chanddo fol mawr, ei wallt tymhestlog wedi britho. Wrth agosáu fe sylwodd Elen ar y blew bach yn tyfu mewn llefydd annisgwyl. Doedd hi ddim yn ei nabod, er iddi ei weld cyn heddiw. Teimlai'r tonnau'n hyrddio y tu mewn iddi. Ai hwn oedd yr un oedd wedi twyllo ei merch? Wedi sylwi ar ei gwendid ac wedi manteisio ar hynny?

Simsanodd Elen ychydig wrth aros ei thro yn y siop. Doedd hi ddim yn hoffi mynd benben â neb. Yn enwedig mewn lle cyhoeddus. O'i chwmpas roedd pobol a allai ei beirniadu hi, pobol roedd hi'n eu nabod a allai daenu'r stori'n dew ar dafodau eraill. Haws targedu person dieithr na rhywun roeddech chi'n ei nabod, rhywun oedd yn golygu rhywbeth i chi, rhywun y byddai ei golli yn eich brifo chi.

Wrth iddyn nhw aros eu tro, fe ddywedodd Cari rywbeth arall.

'Do'dd y dyn 'na ddim yn hapus 'da fi.'

Roedd e'n beth od i'w ddweud.

'Pam?' gofynnodd Elen.

'Pan roies i'r ugen punt iddo fe – nath e sbreio fe.'

'Sbreio fe? Sbreio'r arian? Gyda beth?'

Crymodd Cari ei hysgwyddau.

Doedd Elen erioed wedi clywed shwt beth. Oedd siopau'n glanhau arian papur ers Covid? Neu oedd hyn yn ffordd gyfrin o ganfod oedd yr arian yn ddilys? Roedd e'n fanylyn rhyfedd iawn i fod yn ffrwyth dychymyg. Roedd Elen yn fwy sicr byth bod ei merch yn dweud y gwir. Rhoddodd hynny dân yn ei bol.

Daeth eu tro ar ôl arhosiad anniddig. Esboniodd Elen i'r dyn beth oedd wedi digwydd, sut oedd ei merch wedi rhoi ugain punt iddo am botel o Ribena ac wedi derbyn ychydig o ddarnau arian yn newid. Doedd Elen ddim yn disgwyl llawer ganddo. Doedd ganddi ddim tystiolaeth. Gair Cari yn erbyn ei air e. Edrychodd y dyn ar Elen gyda'i lygaid blinedig, ei wyneb yn ddigyffro. Ochneidiodd yn ysgafn. Ond wnaeth e ddim dadlau o gwbwl.

'Faint oedd y Ribena?' gofynnodd.

Doedd Elen ddim yn gwybod.

Heb air, fe wnaeth y cawr llesg sioe o fynd i edrych, gan adael ei swyddogaeth y tu ôl i'r cownter a rhes o gwsmeriaid anfodlon. Fe ddaeth yn ôl gyda'r wybodaeth, ymhen hir a hwyr. Roedd modd prynu dwy botel am bunt ac ugain ceiniog.

Wnaeth e ddim ei chroesholi hi ymhellach, na galw'r rheolwr, dim ond agor y til a chynnig pumpunt iddi. Doedd e ddim fel petai'n poeni dim ei fod wedi rhoi'r newid anghywir i Cari.

'Ydy hynny'n ddigon?' gofynnodd.

Oedodd Elen. Oedd e'n profi'r dŵr? Yn ei hamau hi o gafflo, ffaith y byddai modd ei sefydlu petai hi'n bodloni ar dderbyn unrhyw rodd?

'Nag yw. Roiodd Cari ugen punt i chi.' Daliodd Elen ei thir, er gwaetha'r bobol eraill o'i chwmpas oedd yn aros yn ddiamynedd, yn fusnes i gyd.

Yn anfoddog, estynnodd ddeg punt arall iddi.

'Fyddwn ni'n cyfri'r pres yn y til ar ddiwedd y dydd,' meddai'n gyhuddgar.

'Gwnewch yn siŵr eich bod chi,' atebodd Elen, gan rythu i fyw ei lygaid.

Wrth gerdded oddi yno roedd hi'n dal yn gynddeiriog. Teimlai Elen gryndod angerddol tu mewn i'w brest, yn tasgu trwy ei chorff, yn amlygu ei hun yn ei dwylo crynedig... Bron na allai roi'r pres yn ôl yn ei phwrs yn deidi, roedd ei bysedd mor simsan â gwymon.

Fe ddylai hi fod wedi cynnig dod 'nôl i'r siop, i wylio'r weithred wrth iddyn nhw gyfri'r arian ar ddiwedd y diwrnod. Gofyn iddo faint o'r gloch y byddai'r mantoli mawr – er mwyn iddi allu sicrhau ei bod hi yno, i weld y gwir yn amlygu ei hun.

Anadla, Elen fach.

Dyna pam roedd hi'n anodd gadael fynd, dyna pam bod rhaid iddi fod yno i ofalu am ei merch, yn gwisgo ei chyfrifoldeb fel croen. Y gwir oedd bod yna bobol oedd yn barod i fanteisio achos pwy oedd Cari a'r hyn doedd hi ddim.

Rhoddodd gwtsh sydyn i'w merch.

'Ewn ni gatre,' meddai.

'Tesco,' meddai Cari.

'Beth?'

'Y car. Ti 'di parco yn rhes tri. Ar bwys y car lliw cwstard gyda'r gath degan yn y ffenest gefn. So ti'n cofio, Mam?'

'Beth wnawn ni os fydd y car melyn wedi mynd?'

'E? Fydd e dal 'na, Mam.' Gwenodd Cari a siglo ei phen, fel petai ei mam yn ddwl bost.

Chwarddodd Elen. Yn yr eiliad honno fe ollyngodd y casineb. Ymlaciodd unwaith eto. Roedd hi mor sicr o Cari, mor sicr o'i chyfiawnder hi. Roedd hi'n ymddiried ynddi.

CARI

Do'dd Cari ddim wedi mynd ar y Waltzers. O'dd Zoe wedi mynd ar y Waltzers gyda Liam. O'dd Josh wedi mynd i nôl ci poeth a do'dd e ddim wedi dod 'nôl. Do'dd e ddim yn gwenu pan welodd e hi heno. Safodd Cari ar yr ochr a gwylio'r reid yn mynd rownd a rownd. Rownd a rownd. Gwrandawodd ar sŵn y gerddoriaeth, ar sgrechen y plant. O'dd dim ots gyda hi sefyll yno, yn aros amdanyn nhw, ond ar ôl tamed bach mi o'dd ots gyda hi. O'dd hi'n oer ar yr ymylon. Meddyliodd am Jo. Do'dd e ddim wedi ei ffono hi o hyd.

'T'isie mynd ar Freak Out?' gofynnodd Zoe iddi.

Do'dd Cari ddim yn siŵr. Ond do'dd Liam ddim isie mynd ar Freak Out.

'Sai isie mynd ar ben fy hunan!' medde Zoe.

'Ocê, iawn!' Cytunodd Cari i fynd ar y reid.

Eisteddodd i lawr. O'dd e fel eistedd ar soffa. O'dd un soffa gyferbyn â hi. O'dd dwy soffa bob ochr iddi. Daeth y bar i lawr o'i bla'n hi.

'Ni'n styc 'ma nawr,' medde Cari.

Chlywodd Zoe mohoni. Fuon nhw'n aros am sbel. Sbel hir. Yna, canodd y corn. Seiniodd y gerddoriaeth.

Hedfanodd Cari a Zoe lan yn uchel. Suddodd stumog Cari. Sgrechodd hi.

'Briliant,' medde Zoe ar ôl i'r reid gwpla.

'Ie, o'dd,' medde Cari.

Safodd Cari a dechre cerdded oddi yno. Ond o'dd rhwbeth rhyfedd yn digwydd. O'dd hi'n symud i'r chwith ac yn symud i'r dde. Fel tase hi'n hwylio ar y môr. O'dd ei phen hi'n ysgafn – o'dd hi'n benysgafn. Ych. O'dd hi'n mynd i gyfogi?

'Zoe!' galwodd.

O'dd y gerddoriaeth yn uchel, yn uwch na llais Cari. O'dd Zoe yn gallu ei chlywed hi? Do'dd dim sôn am Zoe. Do'dd dim sôn am Liam. O'n nhw wedi mynd i nôl cŵn poeth hefyd? Do'dd Cari ddim wedi bod yn y ffair ar ei phen ei hunan o'r bla'n. Do'dd hi ddim yn siŵr iawn beth i'w neud. O'dd hi'n swnllyd iawn yna. Do'dd hi ddim yn gallu clywed ei llais ei hunan. O'dd hi'n dywyll, ond o'dd goleuade'r ffair yn llachar. O'dd y ddau beth yn neud hi'n anodd iddi weld yn glir. O'dd hi'n gallu arogli bwyd. Cofiodd ble o'dd y stondine bwyd, mewn rhes wrth fynedfa'r ffair.

Clywodd sŵn i'r dde. O'dd rhywun yn bod yn sâl? O'dd Cari'n ei nabod hi, merch o'r ysgol. Dechreuodd gerdded tuag ati. Yna fe welodd hi wynebe cyfarwydd erill. Wynebe Zoe a Liam ger y candi-fflos. O'dd hi'n mynd i alw arnyn nhw, yna stopiodd. Beth o'n nhw'n neud? Cusanu? Syllodd arnyn nhw. Fel tase hi'n gwylio'r teledu. Ond do'dd e ddim 'run peth â gwylio'r teledu. O'dd y ddau yma'n cusanu o'i bla'n hi. Do'n nhw ddim yn gallu ei gweld hi. O'dd eu llygaid nhw ar gau. O'dd e'n deimlad od i'w gwylio nhw. Yn cusanu. Yn 'lapswchan' fel fydde Mam-gu yn gweud. Dechreuodd Cari deimlo'n gynnes, o'dd pluen fach yn goglis ei bol.

Yna, agorodd Liam ei lygaid. Gwelodd hi.

'Beth ddiawl ti'n neud?' gwaeddodd.

Edrychodd Zoe arni hi, ei cheg ar agor, mewn sioc.

Ond o'dd popeth yn iawn, o'dd y ffôn ganddi, cofiodd Cari.

ELEN

Un fach gariadus fu Cari erioed. Roedd hi fel car hybrid. Bob hyn a hyn fe fyddai hi angen cwtsh mamol, fel y fam a'r plentyn yn llun hudolus yr artist Klimt, ychydig o sicrwydd, tanwydd i'w chadw hi i fynd. Yn raddol, fe dyfodd y cyfnodau rhwng y cwtshys yn hirach, pŵer y tanwydd yn ymestyn, y gallu i fod yn annibynnol heb sicrwydd cariad ei mam. Roedd yr angen yno o hyd. Ond beth petai'r sicrwydd yn dod o gyfeiriad arall? Yn cymryd ei lle hi? Cnodd Elen ei gwefus yn galed. Estynnodd gwpan a llwyaid de lwythog o goffi ac aeth at y tap a'i lenwi gyda dŵr berw. Syllodd allan trwy'r ffenest uwch y sinc a gwylio'r dail yn llamu'n ddigyfeiriad. Dim ond ddoe fuodd hi'n ceisio eu sgubo'n domen drefnus. Dyma nhw heddiw, yn dawnsio'n afreolus.

'Ti isie chware gêm?' gofynnodd i Cari.

'Pa gêm?'

'Dewis di.'

'Monopoly.'

Ceisiodd Elen fodloni ar hynny. Gwyliodd Cari'n estyn y bocs o'r cwpwrdd mawr a gosod y bwrdd chwarae, y cardiau a'r darnau eraill yn gywir, ond yn drwsgl, yn eu lle.

'Fi yw'r ci.'

'Car,' meddai Elen.

'A fi yw'r rheolwr banc,' cipiodd Cari'r fantais.

Aeth y gêm yn ei blaen gyda'r ddwy yn dilyn y rheolau arferol. Cari yn prynu popeth oedd hi'n gallu tra bod Elen yn llawer mwy gofalus, yn fwy dethol.

'Meddylia 'mod i'n gallu prynu Old Kent Road am bris brechiad i Bow.'

Ymhen amser roedd gan Cari dai ar ei heiddo ac roedd wrth ei bodd pan fyddai ei mam yn glanio yno ac yn gorfod talu dirwy ariannol am wneud. Roedd Cari'n ddidrugaredd. Fe fyddai Elen, ar y llaw arall, yn cymryd arni nad oedd wedi sylwi pan oedd Cari'n glanio ar ei heiddo hi. Fe fyddai ei merch yn gwenu'n gyfrwys ar hynny.

'Wyt ti'n teimlo'n unig weithie?' gofynnodd Elen gan weld ei chyfle.

'Odw.'

'Wyt ti'n unig yn yr ysgol?'

'Odw.'

'Ma Zoe gyda ti.'

'Ma Zoe gyda Liam. Dyw Liam ddim isie fi.'

'Beth am gartre? Ti'n unig gartre?'

'Na. Ma 'da fi YouTube.'

'A dy deulu go iawn di… Dad a fi…'

'Ie, o's, pan chi 'di bennu gweitho.'

Llyncodd Elen ei phoer. Roedd y car hybrid yn dal i ddeisyfu'r grym a ddeuai o gariad eraill. Pan fyddai Elen yn ymuno â hi yn y pwll nofio neu yn y môr fe fyddai Cari'n lapio ei breichiau a'i choesau o gwmpas ei mam. Roedd grym bywiog y dŵr yn golygu y gallai Cari barhau i'w chwtsio hyd yn oed pan oedd hi'n llawer rhy drwm, yn llawer rhy hen, i gael ei chario mewn gwirionedd. Os oedd Cari'n mwynhau cael ei charu gan ei rhieni, roedd yn rhesymol i feddwl y gallai fwynhau cael ei charu gan gymar.

'Fi'n mynd nawr.' Gadawodd Cari y bwrdd Monopoly ble roedd e.

Rhoddodd Cari gusan fawr i Elen. Ar ei gwefus. Fe barhaodd rai eiliadau. Roedd e'n anarferol. Doedd e ddim yn teimlo'n iawn. Anniddigodd hi.

'Wyt ti'n cusanu rhywun arall fel'na?' Daeth y geiriau o geg Elen cyn iddi ystyried beth roedd hi'n ei ofyn… cyn iddi ystyried beth oedd y ffordd orau o holi a chael ateb hanner call. Fyddai gofyn y cwestiwn i Cari yn rhoi syniadau yn ei phen? Yn awgrymu bod cusanu yn beth dymunol, yn ddymunol iawn, yn rhywbeth y dylai hi a Jo fwynhau ei wneud hefyd?

Beth oedd yn brafiach na chusan oddi wrth rywun oedd yn meddwl y byd i chi? Roedd cusan oedd wedi ei dwyn oddi wrthych, cyn eich bod yn barod i'w rhoi, yn fater arall – ac eto, roedd cusan oedd wedi ei dwyn yn rhagori i'r Rhamantwyr.

'Ma Zoe a Liam yn cusanu.'

'Fyddet ti'n lico ca'l cariad?'

Atebodd Cari ddim.

'Pryd welest ti Jo ddiwetha?' gofynnodd Elen.

'Sai'n gwbod.'

'Ti'n hoffi cwmni Jo...'

'Ma Jo yn neud i fi deimlo'n dda.' Gwenodd Cari.

'Dyw Mam ddim wedi clywed wrth Ros chwaith.'

Rhuthrodd Cari ar ras.

'Do'dd Jo ddim yna. Wedes i wrth Nadine – i weud wrtho fe am ffono fi.'

'Ond dyw e ddim wedi ffono.' Deallodd Elen.

'Na.' Tynnodd Cari ar lewys ei siwmper.

'Wy'n gweld.'

'Beth ti'n weld, Mam?'

'Falle'i fod e ddim 'di ca'l y neges wrth Nadine...'

'Nadine wedi anghofio!'

'Ma'n bosib.'

'Falle fod Ros ddim 'di ca'l dy neges di, Mam!'

'Falle.'

Meddyliodd Elen am y caffi ar ben y rhiw, am y ddringfa yr oedd angen ei goresgyn er mwyn cyrraedd yr uchelfan a'r olygfa heb ei hail.

'Gêm dda,' meddai Elen. 'Ti yw'r ferch fwya clefer yn y byd.'

Crymodd Cari ei hysgwyddau a phipo ar ei mam.

'Nage ddim,' meddai'n ddirwgnach.

CARI

'Dwi'n mynd mas.'

'I ble?' gofynnodd Mam.

'Parti.'

Do'dd Mam ddim ar y cyfrifiadur. O'dd ei llyged hi ar Cari. Tagodd Dad ar ei baned.

'Gofalus, Dad!'

'Pwy sy'n mynd?'

O'dd llais Dad yn gryg. O'dd e'n tagu o hyd.

'Zoe a Liam…'

'… a Josh Allen?' medde Mam.

'… a Jo.'

'Dwi'm yn meddwl bod *Joe* Allen yn mynd i'r parti – mae o'n brysur braidd yn Qatar.'

'Jo Consti! Ma'r parti ar Consti. Ma fe'n iawn. Ma Jo yn mynd i ofalu amdano fi,' medde Cari.

O'dd e'n syniad da. Yna, oedodd. O'dd e'n syniad da? O'dd hi'n dyfalu y bydde gan Mam a Dad rwbeth i'w weud am hyn.

ELEN

Llenwyd y lle gan ddistawrwydd dychrynllyd. Daeth Elen o hyd i'w llais.

'Dyw Mam ddim yn meddwl bod hynny'n syniad da, Cari.'

'Pam?' Yr ymadrodd robotaidd.

'Wel, am sawl rheswm… Beth os fydd y lleill yn yfed alcohol?'

'Chân nhw mo'u serfio heb ID,' ychwanegodd Gwyn.

'Falle ddim, ond dyw hynny ddim yn eu hatal nhw rhag dod â chaniau neu botel o fodca mewn bag.'

'Ti'm yn yfad alcohol, nagw't, Cari?'

'Na.'

'Falle fydde hi'n trio coctel Ribena – a ma pethe gwa'th nag alcohol 'fyd,' sibrydodd Elen.

'Gad hi fynd,' meddai Gwyn yn fwyn ond yn gadarn. 'Os ydy Jo yn deud ei fod o'n mynd i ofalu amdani, gawn ni weld o'n gneud hynny.'

Rhoddodd gusan ar ochr talcen Elen. Roedd hi wedi drysu'n lân.

'Ond beth os…?'

'Popeth 'di bod y iawn y troeon diwetha 'ma, do?'

'Wel…'

'Ella fod yna fantais yn y ffaith ei fod o'n hŷn, yn fwy cyfrifol. Ac mae o'n dallt be ydy bod yn wahanol, tydy.'

Meddyliodd Elen am Lennie yn nofel Steinbeck, am y bobol ddigywilydd oedd yn manteisio arno, am y bobol oedd yr un mor atgas am eu bod nhw'n ei ofni.

'Fedri di ddim bod yno o hyd, Elen.'

'O't ti mor grac gyda Jo…'

'Ella 'mod i braidd yn fyrbwyll weithia.'

Nodiodd Gwyn ar ei ferch.

'Fi'n ca'l mynd?' Daeth yr haul i wyneb Cari.

'Wyt. 'Dan ni'n ymddiried ynddat ti i fod yn gall, iawn? Ffôn, iawn, Cari?'

'Diolch, Dad.' Rhoddodd gwtsh sydyn iawn i'w thad a brysio oddi yno.

Eisteddai Elen yn ddistaw. Syllodd Gwyn i fyw ei llygaid.

'Paid â bod yn ddigalon. Ella gawn ni gyfla i fynd ar y dêt yna, 'wan.'

*

Nid y coctel cyntaf oedd yr unig beth i fynd i ben Elen. Roedd y rhyddid o fod yn ddiblentyn yn gynhyrfus. Roedd fel chwa o awyr iach i fod allan yn Bañera gyda'r oedolion eraill, byrddaid o fenywod afieithus yn dathlu pen-blwydd ffrind, cyplau yn mwynhau cwmni amgen a phobol ifanc yn ymlacio ar ôl wythnos hir o waith. Meddyliodd am Cari yn ei dillad newydd, jîns tywyll, hawdd eu gwisgo am nad oedd arnyn nhw fotwm na sip, a thop secwins sgleiniog.

'Beth oeddet ti'n meddwl o'r dillad parti?' cododd Elen ei llais dros yr asbri.

'Smart, doedd? Er, dwi'm yn gyfarwydd â'r colur.'

Roedd Elen wedi cael caniatâd ei merch i'w helpu i baratoi – sythu ei gwallt tonnog yn gawod gochlyd, rhoi lliw ar ei hamrannau ac ychwanegu ychydig o fasgara a minlliw oedd yn gwneud iddi edrych yn henaidd heb ei thrawsnewid chwaith. Yno o hyd oedd yr aeliau yr oedd yn gwrthod eu plycio, yn anniben o flewog uwchben dwy lygad oedd ychydig yn rhy agos at ei gilydd.

'Braf ei gweld hi mas o'r dillad carchar,' meddai Elen.

'Oedd. Dyna ddigon am Cari… Iechyd da!'

Edrychodd Elen ar ei diod, yn ansicr o hyd a ddylai hi fod yn yfed tra bod Cari allan mewn rhyw fath o barti. Ceisiodd feddwl y gorau, yr un peth â Gwyn. Daeth gweinydd o rywle a rhoi dwy siot ar y bwrdd. Er i Elen eu gwrthod, am nad oedden nhw wedi eu harchebu, fe anelodd y dyn ifanc ei law at ŵr canol oed. Gwenodd hwnnw a nabyddodd Elen ef fel dyn busnes lleol. Oedd e'n prynu siots i bawb i wneud iawn am y ffaith ei fod e'n prynu adeiladau yn y dref a gadael iddyn nhw adfeilio?

'Amdani,' meddai Gwyn ac yfed y siot mewn un. 'Reit, be gawn ni nesa?'

'O's well i ni weld allwn ni gael bwyd yn rhywle?'

'Digon o amsar. Corpse Reviver i fi, dwi'n meddwl. Be ti am ga'l? Hanky-Panky?'

Cododd Elen ei haeliau'n awgrymog, wrth ei bodd eu bod nhw'n cael cyfle i ganolbwyntio ar ei gilydd. Roedd hi'n glyd yn y bar, yn llawn awyrgylch. Edrychodd o'i chwmpas a gwenu wrth weld pobol yn mwynhau. Daeth y coctels ar hambwrdd ac yfodd Elen yn ufudd.

'Ma blas mwy ar hwnna!' Daliodd lygaid Gwyn a pharhau i syllu, yn ddrygionus. Rhoddodd ei llaw ar ei goes. Roedd bod mewn stafell o ddieithriaid yn eu tynnu ynghyd. Mewn cwmni, doedd neb ond y ddau ohonyn nhw.

'Beth am fynd bant am benwthnos... ti a fi...?' sibrydodd.

Torrodd yr alwad ar ei thraws. Gwelon nhw'r enw yr un pryd, yn ymddangos ac yna'n diflannu, ôl brys yn y sain anhrugarog. Cododd Gwyn y ffôn.

'Cari, be sy?' holodd.

Clywodd y ddau gri gwylan... Yna dim byd. Symudodd Gwyn y ffôn o'i glust ac edrych ar y sgrin. Roedd enw Cari yno o hyd.

'Cari, wyt ti'n clywad fi?'

'Beth sy'n bod?' gofynnodd Elen.

'Dwn i'm.'

'Odi ddi 'na?'

'Dwi'm yn sicr… hisht, 'nei di… Cari?'

Roedd yna boerad o eiriau. Llond dwrn o gerrig yn cael eu taflu yn erbyn y gwynt. Sgrech… ond ai chwerthiniad neu gynddaredd ddaeth wedyn, roedd hi'n amhosib dweud. Brysiodd Gwyn allan i drio cael gwell signal ac aeth Elen ar ei ôl, yn ysu i gipio'r ffôn, i gael achub y blaen. Roedd hi'n meddwl iddi glywed llais cyfarwydd yn dweud 'Dad' a 'Mam' ond doedd hi ddim yn siŵr. Roedd Gwyn yn gweiddi i mewn i'r ffôn nawr, ond roedd hi'n amlwg nad oedd yn gallu clywed ei ferch.

'Well i ni fynd,' meddai.

'Tacsi?'

'Fydd hi'n gynt i mi ddreifio.'

'Ond ti 'di bod yn yfed!'

'Lôn breifat. Fydda i'n iawn. Tyrd.'

Teimlai Elen yn anghyfforddus iawn. Byddai'n rhaid mynd ar hyd stryd gyhoeddus i gyrraedd y ffordd breifet. Doedd dim amser i ddadlau. Os oedd Cari mewn perygl roedd rhaid mentro. Ac eto, beth os nad oedd dim byd i boeni amdano a nhwythau'n peryglu bywydau eraill, cerddwyr simsan yn eu cwrw? Oedden nhw wedi camddeall yr alwad? Roedd modd crio gyda hapusrwydd ac mewn cynddaredd. Ond beth os oedd Cari mewn perygl?

Carlamodd y ddau at y car. Caewyd y drysau yn glep a rhuodd yr injan. Rhythodd Gwyn o'i flaen. Daliai Elen ffôn Gwyn yn ei llaw erbyn hyn, yn ceisio ei gorau i gael gafael ar Cari, sgrech y ffôn yn canu'n ddi-baid nes iddi glywed y llais annynol yn cynnig cyfle i adael neges.

'Cari, ti'n iawn? Ffonia Mam a Dad fel ein bod ni'n gwbod dy fod ti'n iawn. Ni ar ein ffordd i Consti!'

Roedd Gwyn yn ddigon call am unwaith i beidio â goryrru ar hyd y ffordd fer o'r tu allan i'r sinema i waelod Ffordd y Clogwyn. Roedd hi'n dawel y pen hwn i'r dref a rhibyn o geir wedi parcio oedd yr unig rwystr. Aeth heibio trên bach Consti, oedd yn segur, ar y chwith ac anelu trwyn y car am i fyny, heibio'r rhes o dai. Roedd hi'n dywyll ar y lôn breifet, crafangau'r canghennau yn bygwth eu claddu, pigo glaw mân yn anharddu'r olygfa. Teimlai Elen ei chalon yn ei gwddf.

'Ddylen ni ddim fod wedi gadel iddi –' dechreuodd.

'Paid, wir,' oedd ei ateb.

Ro'n nhw ar fin cyrraedd tŷ Rom a Barry a dechrau ar y ffordd anwastad i ben y clogwyn a chaffi Consti pan welon nhw'r rhith. Y bwgan gwalltog, yn sefyll yn y lôn, yn eu hatal.

'Ty'd o 'na! Twmffat!' tasgodd Gwyn yn wyllt.

Agorodd y ffenest a gwthio ei ben a'i fraich dde trwy'r gofod. 'Symuda o'r ffordd!' Arwyddodd gyda'i fraich. Roedd y dyn yn parhau i syllu, fel petai e'n deall dim.

Canodd Gwyn y corn yn groch.

'Falle ei fod e moyn gweud rhwbeth wrthon ni.'

Clywodd Elen ei llais yn fain. Aeth cymylau tywyll iawn ar hyd ei meddwl. Gwelodd gorff yn gorwedd ar hyd y lôn.

'Sgenna i'm amser i wrando ar hwn, 'wan!'

'Bydda'n ofalus, dyw e ddim yn iawn.'

Cofiodd Elen am y diwrnod ar draeth Llanddwyn. Clywodd ei merch yn bytheirio arni o ben y twyni. Dihunwyd hi o'i thrwmgwsg. Oedodd hi ddim. Bachodd hen bâr o dreinyrs o gefn y car, eu gwisgo a rhedeg o 'na. Goleuodd y tortsh ar ei ffôn. Roedd y rhedeg yn galed, yn galetach fyth ar ôl bod yn yfed. Anadlai'n fân ac yn fuan, ei brest yn dynn, y weithred yn codi cyfog. Ond daliodd ati. Yn ei phen, gwelai lun ei merch ar ben y clogwyn, yn gweiddi mewn argyfwng am ei mam. Cyflymodd ei chamau, tonnau gofid yn bygwth ei boddi.

CARI

'Ribena Revolver Coctel yw hwn – moyn peth, Cari?'

'Ribena Revolver Coctel,' medde Cari ar ei ôl.

O'dd hi bach yn oer ar ben Consti, ond dim dyna pam o'dd Cari'n crynu.

'Ti'n lico Ribena, yn dwyt ti, Cari? Tria tamed bach. Ma Zoe, dy ffrind, 'di ca'l peth yn barod. Tria fe...'

O'dd Liam yn cynnig potel i Cari. Do'dd hi ddim yn edrych fel potel Ribena. Edrychodd Cari ar Zoe. O'dd Liam yn gafel yn ei llaw hi, yn gafel yn rhy dynn?

'Dim diolch,' atebodd Cari.

'Dim diolch. Dim diolch!' medde Liam mewn llais merch. Ei llais hi, Cari? 'Ble ti'n meddwl y'n ni, fenyw? Capel?'

O'dd Liam yn chwerthin nawr, ond o'dd ei chwerthin e'n wahanol, yn ddierth. Dim y dillad newydd o'dd e, ond do'dd Cari ddim yn teimlo'n gyfforddus.

'Ein Tad, yr hwn wyt yn y nefoedd... Amen!' O'dd Josh Allen yn neud siape ac o'dd e'n udo fel asyn. Crynodd Cari'n wa'th.

'Digon. Ocê?' Jo o'dd yn siarad nawr.

'Pwy sy'n mynd i stopo fi? Ti...? Ti a braich pwy arall?'

'Gad e fod, ma fe ffaelu help.' O'dd llais Zoe yn wahanol, fel tase hi'n mynd i lefen.

'Ffaelu help? Duw help!'

O'dd Liam a Josh fel dau glown. Y clown mewn panto do'dd Cari ddim yn ei hoffi.

O'dd Dad yn gweud bod Jo yn hŷn na Liam a Josh. Ond o'dd Liam a Josh yn dalach na Jo. O'dd ots?

'Hei, Jo! Ti'n atgoffa fi o Quasimodo. Ti'n gwbod pwy yw Quasimodo? *"The bells, the bells"*!'

O'dd Liam yn actio nawr, yn actio fel tase fe mewn ffilm arswyd. Clywodd Cari'r cadwyni'n canu yn erbyn y polyn gerllaw. Do'dd Cari ddim isie gweld y ffilm yma.

'O'dd e'n salw fel pechod hefyd. Pwy sy 'da ti heno... Esmeralda?'

'Desperado...' medde Josh.

O'dd y bois yn chwerthin yn gas, yn yfed mas o boteli. Poerodd Liam ar y llawr. Edrychodd ar Cari.

''Na beth fi'n meddwl o ti fel Esmeralda. Blydi niwsans. Dilyn Zoe fi fel ci bach. Fydden i'n sâl 'sen i'n goffod mynd mas 'da ti!' Poerodd eto.

O'dd Jo yn gafel yn Cari nawr, yn gafel yn ei llaw. Do'dd Cari ddim isie gafel yn ei law e. Ysgydwodd ei llaw, ond o'dd Jo'n pallu gadel fynd. O'dd ofn ar Cari.

'Neud i ti deimlo fel dyn mawr, yw e? Pigo ar ferched?' O'dd Jo yn siarad.

'Hei, ni'n gallu sefyll lan droston ni'n hunen!' medde Zoe.

''Thgwrs bo' chi. Ond ma'r ddou 'ma off eu penne. Dere, Cari, af i â ti gatre. A tithe 'fyd, Zoe, os ti moyn.'

Siglodd Cari ei phen.

'So chi'n mynd i unman 'to! Nawr ma'r parti'n dechre.'

Tynnodd Liam rwbeth o'i boced. Cyllell. O'dd e'n estyn min y gyllell tuag at Jo, tuag at Cari.

'Jacpot!' medde Josh.

'Le gest ti hwnna?' gofynnodd Zoe.

'Yn y caffi. Angen i chi fod yn fwy gofalus gyda seciwriti, Jo. Sdim ofan neb arna i, gwd boi, yn enwedig ffrîc fel ti.'

Neidiodd Liam tuag at Jo a gwthio'r gyllell trw'r tywyllwch. Sgrechodd Cari.

ELEN

Cyrhaeddodd. Yn anadlu'n drwm. Ei llwnc yn sych. Wedi rhedeg yn gyflymach nag erioed. I fyny ac i lawr ar hyd y llwybr i dop y rhiw. Y Camera Obscura ar y chwith iddi. Y caffi oddi tani. Ymyl y dibyn, yn ddychrynllyd o agos, y tu hwnt i hwnnw. Anadlodd yn ddwfn. Unwaith, ddwywaith. I ba gyfeiriad ddylai hi fynd? Craffodd. Roedd ei phen hi'n troi. Roedd hi'n teimlo'n sâl, yn ailflasu'r coctel diwethaf.

Clywodd Elen y sgrech a nabyddodd lais ei merch. Dechreuodd redeg i lawr tuag at y golau o'r caffi, yn fwy gofalus rhag iddi lithro.

Gwelodd y criw bach heb eu nabod yn iawn. Gang o bobol ifanc – dim byd yn anarferol yn hynny. O leiaf doedd Cari ddim ar ei phen ei hun. Fe ddylai Elen fod yn falch, ond doedd hi ddim. Roedd hi wedi annog Cari i ymwneud â'r ffrindiau newydd yma. A hynny er mwyn ei hatal rhag closio at Jo. Ond pwy oedden nhw mewn gwirionedd? Beth oedd y cyfeillgarwch? Perthynas pum munud. Werth dim byd.

Prysurodd tuag atyn nhw. Gwelodd y poteli. Yn nwylo'r bechgyn, rhai eraill ar lawr.

'Ble ma Cari?' gofynnodd, fel gafr ar daranau.

Edrychon nhw arni'n surbwch. Oedden nhw'n ei nabod hi? Roedd golwg fygythiol ar un o'r bois. Roedden nhw'n dalach na hi. Anadlodd.

'Ble ma Cari?'

Zoe oedd yr un a atebodd.

'Dyw hi ddim 'ma.'

Teimlodd Elen guriad ei chalon yn cyflymu. Edrychodd ar y bechgyn. Roedd un ohonyn nhw yn magu ei law. Oedd e'n gwaedu?

'Ble ma hi, 'te? Beth sy 'di digwydd iddi?'

'Ma hi yn y caffi... gyda Jo...'

Baglodd ar hynny. Oedd hwnnw wedi ei hachub hi, wedi mynd â hi i rywle saff? Neu, oedd e wedi gweld ei gyfle?

Cerddodd Elen yn gyflym at y caffi. Y tu allan wedi ei oleuo fel llwyfan, ond y tu mewn yn ddu fel niwl. Beth petai'r drysau ar gau? Gwelodd Gwyn yn dod i'r adwy i lawr y rhiw, fel y gwnaeth ar y noson yn y sinema. Llamodd ei chalon.

'Ma hi yn y caffi... gyda Jo.'

'Y cythral bach!'

Cydiodd Gwyn ym mwlyn y drws i'r bwyty a'i agor yn hawdd. Cerddodd y ddau i mewn i'r caffi tywyll. Roedd teimlad rhyfedd i'r lle. Y cadeiriau gwag fel ysbrydion.

'Cari?' Cododd Gwyn ei lais, ond ddim mwy na phetai e adre.

Roedd y diffyg ymateb yn ddychrynllyd. Fe allai Elen arogli gweddillion bwyd a diheintydd. Symudodd ymlaen, heibio Gwyn.

'Ma'n nhw'n mynd i'r stafell staff weithie,' cofiodd.

'Lle?'

'Dim syniad.'

Oedd Cari wedi dweud wrthi, a hithau'n rhy brysur i wrando arni'n iawn?

'Yn y cefn?'

'Falle.'

'Does 'na'm stafelloedd gwely yma?'

'Sai'n gwbod.'

Roedd Gwyn yn chwilio am y golau.

'Gwyn, o'dd un o'r bechgyn yn gwaedu...'

'Lle arall sy 'na?' poerodd.

Dechreuodd Elen grio.

CARI

Do'dd Cari ddim yn lico bod fan hyn. O'dd hi isie mynd gatre. O'dd hi wedi gweud wrth Jo, 'Fi isie mynd gatre.' Ond o'dd Jo wedi gweud wrthi i aros am damed bach. O'dd e wedi addo syrpréis iddi. O'dd e wedi addo siocled poeth.

'Ti'n hoffi siocled poeth, on'd wyt ti?' medde fe.

O'dd hi'n glòs iawn yn y stafell. Stafell ryfedd, stafell gron, yn dywyll fel bola buwch.

'Tynna dy got,' o'dd Jo wedi gweud. Ond do'dd Cari ddim yn siŵr.

Yna, o'dd Jo wedi rhoi'r camera mla'n. Y Camera Obscura. O'dd y ddau ohonyn nhw'n sefyll wrth y bwrdd mawr crwn, gole fel lleuad oddi tani a'r anghenfil o gamera uwchben. O'dd Jo yn rheoli'r camera gyda'r ffon. Gwelodd Cari lun y dre yn symud yn ara ar hyd y llwyfan.

O'dd llaw Cari ym mhoced ei chot. O'dd ffôn Cari yn y boced. Do'dd Mam ddim gatre. O'dd Mam a Dad wedi mynd mas. 'Os ti moyn dod gatre – ffonia fi,' medde Mam. 'Cofia – ffonia fi.' Fi yn cofio, Mam! Ddyle hi ffono Mam? Ond do'dd Mam ddim gatre.

O'dd Jo yn sefyll ar ei phwys hi. O'dd e'n gofalu ar ei

hôl hi. Gwyliodd Cari'r llunie, y dre drwy lygad rhywun arall. Y prom gyda'r nos, y môr a'i donne.

'Ti 'di ca'l ofan,' medde Jo.

'Fi 'di ca'l ofan,' medde Cari, wedi ei hudo gan yr olygfa.

''Nest ti'n dda, cofia. Gafodd Liam ofn y sgrech 'na. Na'th e ollwng y gyllell.'

'Godest ti'r gyllell. Gafodd Liam ddolur.'

'Damwen. Y ddau 'non ni'n mynd am y gyllell yr un pryd. Paid poeni. Ti'n saff nawr.'

'Odi'r gyllell 'da ti o hyd?'

'Ydy, paid poeni.'

Rhoddodd Jo ei fraich amdani. Cafodd Cari bach o sioc. Do'dd hi ddim yn disgwyl iddo neud hynny. O'dd e'n gafel ynddi'n dynn.

'Ma llygad y camera yma'n dangos gwell llun na'r realiti,' medde Jo.

'Odi.'

'Dyw pawb ddim yn gweld y byd yr un peth. Fi'n credu bod ni'n dou'n gweld pethe yn yr un ffordd, yn gweld y ffordd yn glir,' medde Jo.

Tynnodd Cari ar lewys ei chot.

'Fi moyn gofalu amdanot ti. Fi'n lico ti, Cari. Wyt ti'n lico fi?'

'Jo, beth ti'n neud?'

Clywodd Cari lais arall.

'Dim byd,' atebodd Jo.

'Gad y ferch i fod.' Do'dd Nadine ddim yn grac. O'dd hi'n cario'r siocled poeth.

Tynnodd Jo ei fraich yn ôl. O'dd Cari'n lico cwtsh Jo.

Wedyn, cafodd Cari sioc. Cerddodd Mam a Dad mewn i'r stafell. O'n nhw wedi dilyn Nadine?

'Sym o 'na, y pwrs! Cari – ydy o 'di brifo ti?'

'O'n i ddim yn –'

'Dim eto, ia?'

Rhoddodd Mam ei breichie am Cari. O'dd hi'n crio.

'Pam ti'n crio, Mam?'

'O'n i'n poeni bo' rhwbeth ofnadw 'di digwydd i ti. Sdim byd... o's e?'

O'dd Mam yn syllu arni, ei hwyneb yn boenus.

'O'n i'n cadw llygad ar bethe... ar Cari... a fy mrawd,' medde Nadine.

'Brawd?'

Nodiodd Nadine a gwenu.

'Ma fe'n fachgen ffein, chi'mod. Wrth gwrs, dim pawb sy'n gallu gweld hynny.'

ELEN

Os oedd hi'n gwrthod y cyfle am gariad iddi hi, onid oedd hi cynddrwg â nhw? Y bobol oedd yn edrych ar Cari ac yn gweld yr hyn doedd hi ddim, yn hytrach na'r hyn oedd hi, yr hyn oedd yn eisiau yn hytrach na'r hyn oedd yno. Yn cymryd yn ganiataol na fyddai'n bosib iddi feithrin perthynas gariadus. Am fod Cari yn wahanol iddyn nhw. Yn wahanol i'r norm. Ei bod hi ddim yn normal, mewn geiriau eraill. Teimlodd Elen y brathiad hwnnw.

Roedd Elen wedi ei galw hi'n 'Cari' am mai dyna roedd hi'n bwriadu ei wneud, ei charu hi. Dyna roedd hi wedi ei wneud, ei charu hi wrth ei magu, hithau a Gwyn. Onid oedd hawl gan Cari felly i gael ei charu? I brofi cariad, fel yr oedd Elen wedi ei wneud? Dod o hyd i gariad y tu hwnt i'w theulu bach. Magu ei theulu ei hun.

'Fi moyn ca'l cariad fel Zoe,' meddai ei merch a hwythau'n sôn am yr hyn oedd wedi digwydd y noson honno ar Consti, wrth iddyn nhw geisio trafod ei theimladau hi am Jo.

'Wy'n dy garu di,' atebodd Elen.

'A beth am wedyn?'

'Wedyn?'

'Ar ôl i ti farw. Sai isie bod ar ben 'yn hunan.'

Gwingodd Elen wrth glywed y geiriau.

Wrth gwrs bod Elen eisiau iddi gael ei charu, iddi fod yn hapus, ond hiraf yn y byd yr oedd ei dychymyg yn teithio ar hyd y llwybr yna, mwyaf caregog oedd y ffordd. Beth fyddai'n digwydd pan fyddai cwmni Cari ddim yn ddigon i'r dyn ifanc yma? Nid sant mohono, chwarae teg. Beth am yr amser pan fyddai dal llaw, ambell gyffyrddiad, digon diniwed, yn flas ar fwy? Pan fyddai'r pethau hyn yn porthi'r chwant, yn creu dyhead i groesi'r ffin na fyddai'n hawdd ei reoli.

Doedd e ddim wedi bod yn hawdd iddi hi a Gwyn ddod i delerau â'r hyn oedd wedi digwydd y noson honno ar Consti, a'u hymateb nhw. Ond roedd hi wedi dod yn amlwg bod Jo wedi cadw at ei air, wedi gofalu am Cari, rhywbeth yr oedd wedi ei wneud bob tro ond ei bod wedi cymryd amser iddyn nhw, fel rhieni, gydnabod hynny.

Ymdoddi oedd Cari eisiau, profi'r holl bethau oedd yn rhan o fywyd, ac roedd rhaid i Elen dderbyn bod pleser a phoen yn eu plith.

Clywodd Elen y llais o'r stafell nesa.

'Mam?'

'Wy 'ma,' atebodd yn syth.

CARI

'Ni'n mynd lan i Consti, on'd y'n ni, Bow?'

O'dd Mam 'di cynnig dod hefyd. Do'dd Mam ddim yn gweitho. O'dd hi'n cwrdd â Ros nes mla'n am baned. O'dd Mam yn ca'l hoe fach o'r gwaith. O'dd swydd newydd gan Ros. O'dd Mam yn hapus iawn. O'dd wyneb Mam yn gynnes fel yr haul.

Do'dd dim angen gofyn i Mam cyn mynd am dro. Na Dad. O'dd hi'n un deg whech… a thamed bach.

'Well i ti fynd â Bow rhag ofn,' medde Mam.

O'dd Cari'n mynd i weld Jo. Do'dd Jo ddim yn gweitho heddi. O'dd newyddion 'da fe am fynd yn brentis. O'dd hi'n rhy wyntog i chware golff. O'n nhw'n mynd i fynd i weld yr olygfa, yng ngole dydd, trw'r Camera Obscura.

'Tria ddeud hynny 'rôl cwpwl o beints,' medde Dad.

O'dd y camera'n newid y byd. O'ch chi'n gweld y byd mewn ffordd wahanol. O'dd hi a Jo yn hoffi eu byd gwahanol nhw.

O'dd hi'n lico cwmni Jo. O'dd Jo yn lico ei chwmni hi. O'dd Mam yn hoffi Jo hefyd. O'dd Dad yn hoffi Jo… wel… *ish*.

O'dd Cari wedi gweld Zoe ers y parti, ond dim ond o bell. Do'dd dim ots. O'dd 'da hi ffrind newydd, diolch i Miss Pugh. Amy o'dd enw ei ffrind hi ac o'dd Cari ac Amy yn mynd i'r clwb ffrindie. Wthnos nesa o'dd y clwb yn mynd i'r ffarm alpacas.

'Al pac a bag,' medde Dad.

Siglodd Mam ei phen. Clown da o'dd Dad!

O'dd Cari'n mynd i aros yn yr ysgol nes ei bod hi'n un deg wyth o'd. Yna, bydde hi'n mynd i'r coleg, yn dangos i Mam-gu beth o'dd hi'n gallu neud... Wedyn, bydde hi'n ca'l gwaith. Do'dd hi ddim yn siŵr pa waith eto. Ond o'dd hi'n mynd i ga'l fflat ei hunan.

'Ga i ddod draw i'r fflat?' gofynnodd Dad.

'Falle,' medde Cari.

O'dd Mam yn gweud wrth Cari am edrych ar yr olygfa o ben Consti – o'dd e fel gweld ei bywyd o'i bla'n hi. Well iddi fynd.

'Un cam ar y tro – ontefe, Bow?'

Holwch am bris argraffu!
www.ylolfa.com